Éditions Druide
1435, rue Saint-Alexandre, bureau 1040
Montréal (Québec) H3A 2G4

www.editionsdruide.com

RELIEFS

Collection dirigée par
Anne-Marie Villeneuve

À CAUSE DES GARÇONS

Catalogage avant publication de Bibliothèque et Archives nationales
du Québec et Bibliothèque et Archives Canada

Larochette, Samuel, 1986-
À cause des garçons : roman
(Reliefs)
ISBN 978-2-89711-079-6
I. Titre.

PS8623.A762A62 2013   C843'.6   C2013-941507-6
PS9623.A762A62 2013

Direction littéraire : Anne-Marie Villeneuve
Édition : Luc Roberge et Anne-Marie Villeneuve
Révision linguistique : Lyne Roy et Isabelle Chartrand-Delorme
Assistance à la révision linguistique : Antidote 8
Maquette intérieure : www.annetremblay.com
Mise en pages et versions numériques : Studio C1C4
Conception graphique de la couverture : Gianni Caccia
Illustration de la couverture : François Thisdale
Photographie de l'auteur : Maxyme G. Delisle
Diffusion : Druide informatique
Relations de presse : RuGicomm

Les Éditions Druide remercient le Conseil des arts du Canada et la SODEC de leur soutien.

Gouvernement du Québec – Programme de crédit d'impôt pour l'édition de livres –
Gestion SODEC.

ISBN papier : 978-2-89711-079-6
ISBN EPUB : 978-2-89711-080-2
ISBN PDF : 978-2-89711-081-9

Éditions Druide inc.
1435, rue Saint-Alexandre, bureau 1040
Montréal (Québec) H3A 2G4
Téléphone : 514-484-4998

Dépôt légal : 3ᵉ trimestre 2013
Bibliothèque nationale du Québec
Bibliothèque nationale du Canada

Imprimé au Canada

Samuel Larochelle

À CAUSE DES GARÇONS

roman

Druide

Un seul être vous manque,
et tout est dépeuplé.

Alphonse de Lamartine

CHAPITRE 1

Un appareil photo dans une main, un verre de Quick aux fraises dans l'autre, j'immortalisais les couleurs de la matinée.

- Jaune-curry: les murs qui me regardaient ne rien faire pour la première fois depuis trois ans.
- Gris-bleu-de-mer: le pantalon de pyjama qui ne me quitterait pas de la journée.
- Brun-1984: la télévision que mon père avait achetée l'année où notre maison avait été construite.
- Rouge-cerise-écrabouillée: le canapé sur lequel mes cent quatre-vingt-sept centimètres de corps avaient choisi de s'échouer vingt minutes plus tôt.

Tel était le portrait de mon environnement immédiat, cinq heures avant la cérémonie des nouveaux diplômés en photographie du cégep de Matane. Parmi les quatre chaînes captées par notre télé, j'avais le choix entre un reportage consacré à l'évolution de la fête de Pâques, un film où Kevin Bacon se déguisait en homme invisible, un documentaire sur les chevreuils de l'île d'Anticosti, ainsi qu'une émission de discussions où trois collaboratrices stéréotypées comblaient du temps d'antenne en s'assurant d'avoir des opinions contraires. Après un bref moment d'hésitation, mon cerveau ravagé par la fin de session et mon envie d'être abruti se sont rabattus sur le baratin d'une chroniqueuse aux expressions faciales inexistantes.

« Vous savez, de nombreuses femmes cherchent l'image de leur père chez leur amoureux. Il paraît qu'on rêve de trouver un homme qui possède ses qualités, qui nous offre le même sentiment de sécurité et qui va jusqu'à lui ressembler physiquement. »

Si plusieurs femmes espéraient un copain qui ressemble à leur père, la plupart des gais souhaitaient-ils la même chose ? Allais-je tenter de retrouver le mien pour le reste de ma vie ?

Profil ToietMoi.com

SURNOM : Ocean19	
19 ans – Montréal et environs	Homosexuel – Célibataire
Recherche : Amour, amitié, discussions	Occupation : Travailleur autonome
1,87 m, poids proportionnel	Cheveux bruns – Yeux bleus, verts ou gris

Je suis : artiste, observateur, rêveur, lucide et naïf, mature et candide, réflexif et impulsif.

J'aime : raconter des histoires avec beaucoup trop d'enthousiasme. Me convaincre que je suis patient. Être qualifié de charmeur, sans jamais avoir su comment m'y prendre. Aller trop souvent au cinéma (*Lord of the Rings*, *Tout est parfait*, *Donny Darko*, *Jeux d'enfants*, *Le Fabuleux Destin d'Amélie Poulain*, *Kill Bill*). Faire la patate de sofa devant mes séries préférées (*La vie, la vie*, *Friends*, *Ally McBeal*, *The West Wing*, *Les hauts et les bas de sophie Paquin*). Rire de l'incohérence de mes goûts musicaux (Dumas, Kylie Minogue, Arcade Fire, Alexandre Désilets, Madonna, Jacques Brel, Pierre Lapointe, Mika). Me donner l'impression que j'aime la musique *heavy metal*, parce que j'écoute encore Evanescence et Avril Lavigne.

Je cherche : un gars dans la vingtaine, qui veut plus qu'une histoire d'un soir.

Je cite : un proverbe prétendant qu'on peut vivre d'amour et d'eau fraîche. Mon avis sur la question est qu'après 19 ans à carburer à l'eau fraîche (je suis un gars vraiment très hydraté), il est grand temps pour moi de goûter à la première partie du proverbe.

La *mamma* — surnom imposé par ma très Québécoise de mère, qui voulait avoir l'air exotique lorsque son fils unique s'adressait à elle — scrutait mon profil depuis cinq minutes, le visage neutre et les yeux mi-clos.

— T'as pas besoin de t'inscrire à un site de rencontres pour plaire à un gars, Émile…

— Je fais pas ça pour plaire… Je veux seulement arrêter de penser que les seuls gais que je connais sont Joël Legendre, Jasmin Roy, Elton John pis Ricky Martin.

— Qu'est-ce que t'as contre Joël ? Je suis sûre qu'il me ferait un beau gendre.

— Il a presque ton âge et il est papa d'un petit garçon ! Sérieusement, y a pas mille façons de rencontrer du monde…

— Trésor, tu déménages à Montréal. Ce serait le temps que t'arrêtes de penser comme un gai qui trouve donc ça difficile de se cacher dans sa petite ville de région !

— Eille ! Quel genre de mère dit ça à son fils ?

Chaque fois que la *mamma* espérait me faire réagir, je tombais dans le panneau comme un débutant.

— Attends, je suis sûre que je pourrais être crédible si je faisais un effort pour jouer la mère intolérante. Écoute ça : « Mon Émile, je compte sur toi pour me ramener une belle bru à Noël. On s'était entendus l'autre fois : les histoires avec les p'tits gars, c'est fini. Le psychologue a dit que c'était juste une phase… »

— Maman…

— Non, attends, je pense que j'ai mieux : « Ton père se retournerait dans sa tombe s'il apprenait que son gars est une tapette ! » lança-t-elle en éclatant de son rire légendaire.

La *mamma* se permettait à peu près n'importe quel commentaire sur mon homosexualité, sachant très bien qu'il fallait encore dédramatiser la perception que j'avais de ma réalité.

— N'importe quoi… De toute façon, papa devait se douter depuis longtemps que je n'allais pas prolonger la lignée des Leclair. Et t'as dû lui ouvrir les yeux à ta façon.

Un sourire attendri m'a été lancé en guise de réponse.

— Tu t'en chargeais assez bien tout seul.

— Ben là, c'est pas parce que je jouais avec des Barbie à cinq ans que j'étais automatiquement gai. J'aimais aussi les petites autos, les G.I. Joe, les camions jaunes et mon carré de sable.

— T'as toujours été différent, trésor. Plus tu vieillissais, plus je le sentais… Maintenant que tu t'en vas à Montréal, j'espère qu'on va arrêter de capoter avec ça.

Comme si je me plaignais par caprice.

— Quand tu seras lesbienne dans une école secondaire, on s'en reparlera… Tsé, y a plus l'*fun* dans la vie que de se faire dire « salut » d'un côté et « eille, regarde le fif » de l'autre.

— C'est juste une gang de jeunes avec des parents trop arriérés pour les éduquer comme du monde !

La *mamma* était tellement ouverte d'esprit qu'elle n'avait pas laissé le loisir à son fils de prendre conscience de sa différence par lui-même. Après avoir surpris le plaisir inattendu que j'avais ressenti en voyant des hommes s'embrasser à la télévision, elle avait jugé que son ado de douze ans était assez vieux pour comprendre ce qu'il venait de se produire dans son pyjama. J'ai ainsi découvert le pourquoi et le comment de mon homosexualité, une demi-douzaine de livres à l'appui.

— *Anyway*, dis-moi donc ce que tu penses de ma fiche sur le site.

— Sérieusement ? Si personne veut te rencontrer avec un profil comme celui-là, je m'installe au coin des rues Sainte-Catherine et Saint-Denis avec une photo géante de toi, pis je donne ton numéro à tous ceux qui ont de l'allure. OK ?

Soupir et yeux en l'air.

— Sais-tu, je pense que ce sera pas nécessaire…

À quelques heures de mon départ pour Montréal, mes émotions vagabondaient entre un flot de regrets et un sentiment d'excitation hyperactive. Depuis bientôt vingt ans, ma petite maison de bord de mer était le seul chez-moi que j'avais connu. Les voyages au bout du monde que je faisais dans ma tête et les milliers de photos que je prenais sans relâche, je les entassais dans une chambre que la *mamma* m'imposait de quitter à intervalles réguliers.

— Émile Leclair, viens manger ! Pis attends pas que je te prouve que je suis encore plus forte que toi pour descendre.

La seule autre personne qui savait comment m'extirper de mon univers parallèle se nommait Lilie, ma voisine, mon inséparable : un petit bout de femme avec une coupe de cheveux à la garçonne et une allure de hippie qu'elle affichait uniquement à l'extérieur du cabinet d'avocats où elle travaillait comme adjointe.

À seulement dix ans, mon amie avait été identifiée comme une virtuose de la flûte traversière. Gagnant tous les concours régionaux et provinciaux qui existaient, elle s'était présentée devant un jury composé de détecteurs de talents à Vancouver, quelques jours avant son quinzième anniversaire. À son retour de l'Ouest canadien, Lilie avait rangé son instrument et n'y avait plus retouché. Elle m'avait brièvement raconté ce qui s'était passé en essayant de calmer sa petite fin du monde.

— Si t'avais entendu les autres musiciens, t'aurais fait la même chose que moi... J'étais pas de calibre et je l'ai jamais été. Je veux plus jamais en entendre reparler.

Même si Lilie avait l'habitude d'enterrer plusieurs parcelles de ses histoires dans son jardin secret, tous ceux qui nous connaissaient enviaient notre lien de confiance. Ma voisine comprenait généralement ce qui se passait dans ma tête sans que j'aie à lui donner trop de détails. Le jour où j'avais mis cartes sur table ne faisait pas exception.

— Lilie, tu sais que je joue pas dans la même équipe que toi, hein ?

— Ben oui, Mile… Ça fait longtemps que j'ai remarqué que tu t'intéressais pas à mes décolletés, pis j'ai autre chose à faire que d'essayer de te faire virer de bord. Je t'aime comme t'es, point final.

L'idée d'être bientôt séparé de Lilie ne m'effrayait pas. Notre amitié était de celles qui survivaient à n'importe quoi. L'évolution de ma relation avec la *mamma* ne m'inquiétait pas non plus. Sa tendance à me dire tout ce qu'elle pensait n'allait certainement pas diminuer avec la distance.

L'appel de l'ailleurs résonnait en moi depuis trop longtemps pour que je fasse la sourde oreille. Je me préparais à quitter mon Saint-Laurent chéri en sachant que le tronçon d'eau polluée de la métropole me ferait regretter la beauté des rives de la Gaspésie, mais le moment était venu de regarder droit devant et de faire honneur à mon sens aigu des priorités :

- Trouver un moyen de faire des sous sans être obligé de vendre mon corps (je ne saurais même pas comment faire de toute façon…).
- Apprendre à frencher.
- Apprivoiser la vie gaie de Montréal.

CHAPITRE 2

Le mot «consternant» était-il assez évocateur pour exprimer ce que je ressentais en visitant les sites de rencontres pour la première fois? Probablement que non. Grâce au merveilleux dictionnaire des synonymes que j'avais sorti de mes boîtes de déménagement, j'élargissais mon champ lexical avec les adjectifs «affligeant», «désolant» et «lamentable». J'avais désormais assez de vocabulaire pour analyser les pires profils que mes yeux avaient croisés:

- «Je suis un gars ben ordinaire, pas compliqué. Je ne cherche pas grand-chose. Je ne mords pas.» = **Je suis plate et je ressemble à tout le monde. Je ne sais pas ce que je veux, parce que je ne sais pas qui je suis.**
- «Pour les baises et les *one nights*, passez à un autre appel.» (Photos de profil: torse nu sur la plage et en boxer extrapetit sur son lit) = **Je claironne à qui veut l'entendre que j'ai des principes de vie irréprochables. (Mais ça m'arrive de vouloir coucher avec un inconnu, deux minutes après lui avoir dit salut, lorsque je suis en manque de sexe.)**
- «Je cherche un amoureux, un prince charmant, celui avec qui je vais enfin vivre le grand amour.» = **Je baigne dans les contes de fées. Je ne fais pas la différence entre rêver un idéal et exiger un rêve. Je serai constamment déçu par la réalité.**

— «Je sors d'une relation de trois ans. Idéalement, je veux un nouveau copain. Je suis amoureux de la vie à deux.» = **DANGER! Je suis incapable d'être seul. Je n'ai pas pris le temps de tirer des leçons de ma dernière relation. Je suis en amour avec l'amour et j'ai besoin d'être sauvé.**

Eurk, eurk, eurk!

Je n'avais parlé à personne encore, mais après trois jours à juger les profils qui défilaient sous mes yeux, je me demandais si mon avenir relationnel se résumait à cela.

Comme je n'avais jamais été très doué pour relativiser, j'ai tenté de me calmer en appelant Lilie.

— Salut petite beauté gaspésienne!

— Salut Mile!

— Comment ça va?

— Correct… Matane est rendue vraiment plate depuis que t'es parti. Je m'ennuie!

— Moi aussi! J'ai personne à qui parler…

— Pourquoi tu vois pas Clara?

— On est censés faire quelque chose demain, mais j'avais besoin de te parler quand même. Je pense que je rencontrerai jamais personne ici…

— Bon, v'là le mélodramatique qui recommence!

— Non, c'est pas ça… J'ai l'air de me plaindre comme un enfant de quatre ans, mais je comprends juste pas comment je peux avoir aussi peu de vécu à mon âge. C'est comme si j'avais passé mes maths 536 en sachant pas c'est quoi le théorème de Pythagore ou que j'avais reçu mon diplôme du cégep en pensant qu'il faut cadrer le sujet de mes photos au centre. Ç'a aucun sens!

— Tsé, apprendre à embrasser, c'est pas mal plus rapide que tu penses.

— Ouin… Je vais commencer par me trouver quelqu'un avec qui pratiquer.

— Je te donnerai des trucs un jour.

— Si j'ai pas besoin de mettre ma langue dans ta bouche, j'embarque!

— Promis.

Maintenant que toutes mes boîtes étaient vides, mon appareil photo insistait pour faire connaissance avec mon nouveau quartier. Mon objectif capturait tout ce qui lui semblait digne d'intérêt: les ampoules de la marquise du cinéma Beaubien au coin de ma rue, l'allée de gravier au milieu du parc Molson, l'autobus Beaubien avec «GO Canadiens GO!» sur son écran et la Plaza St-Hubert, dont les vitrines offraient à mes yeux quantité d'informations vestimentaires troublantes.

Un peu plus à l'ouest, le boulevard Saint-Laurent grouillait d'hommes et de femmes qui profitaient des terrasses pour la première fois de la saison. Après avoir englouti un cornet de *gelato* mangue et framboise acheté dans une épicerie italienne, je suis retourné vers mon appartement de la rue Louis-Hébert, avec des dizaines de photos en banque. Malgré tout le travail de retouche qui m'attendait, j'ai préféré aller au lit avant minuit pour être en forme le lendemain.

::

Le bureau ressemblait à l'idée que je me faisais d'une entreprise en ressources humaines: décors postmodernes, aire ouverte, chaises ergonomiques, murs sur lesquels on avait agencé du gris argenté et du bleu marine foncé. J'essayais de calmer la nervosité qui faisait trembler ma jambe gauche lorsqu'une jeune femme mandatée pour me trouver un emploi est venue à ma rencontre.

— Bonjour Émile, je m'appelle Karyne Constantineau. Si vous le voulez bien, on va commencer les examens. Ensuite, on va discuter de ce que vous cherchez.

Trois quarts d'heure plus tard, mon agente de placement analysait mes résultats.

Word: 57 % (aussi bien dire désastreux)

PowerPoint: 44 % (un synonyme pour « désastreux », quelqu'un?)

Excel: (je préfère ne pas le savoir)

Français: 98 % (joie et allégresse)

Traitement de texte: 55 mots/minute (pas mal pour un photographe)

— C'est rare que des gens de votre âge maîtrisent aussi bien le français... *And now, what about your English?*

Elle observait ma réaction à ce brusque changement de langue.

— *Well, I understand everything you say and I'm able to speak English really good, but I know that I have a big accent from Gaspésie. If I practice a lot, I'll be just fine.*

Un air perplexe est apparu sur le visage de Karyne lorsqu'elle a consulté mon dossier.

— Vous cherchez un travail dans le secteur administratif tout en ayant un diplôme en photographie... Si on vous trouve un poste, allez-vous démissionner dès vos premiers contrats de photo?

— J'ai étudié la photo par plaisir, pas pour gagner ma vie. J'ai pas l'intention de gratter les fonds de tiroir pour survivre.

Après m'avoir posé une vingtaine de questions, mon agente a dressé le portrait du genre d'employé que je croyais être : plutôt organisé, doué pour le boulot administratif, polyvalent, éloquent, débrouillard et n'appréciant pas être materné. À la fin de notre rencontre de quatre-vingt-dix minutes, une offre m'a été faite.

— J'ai un poste de commis à la saisie de données pour vous. Vous pourriez commencer demain matin.

Comme je préférais me faire brocher les lèvres à froid plutôt que de passer huit heures par jour à jouer au pic-bois informatique, j'ai gentiment refusé sa proposition. J'espérais que les coffres de cette agence n'étaient pas uniquement garnis des restes que personne ne voulait.

— Monsieur Leclair, votre candidature est très intéressante, conclut-elle en m'accompagnant vers la sortie. Je la garde sur le dessus de ma pile et, si j'ai quelque chose pour vous, je vous appelle.

Cette session de placement professionnel n'avait rien d'une cure de relaxation. Ne sachant pas encore ce que je voulais faire de ma vie, je devais trouver quelque chose en attendant de me brancher. J'étais arrivé nerveux, je repartais anxieux.

De retour à la maison, je constatais à quel point mon deux et demie s'était embelli depuis mon arrivée.

Le lendemain de mon déménagement, ma mère et moi avions dévalisé les rayons du IKEA pour me procurer une table, un canapé, un meuble d'ordinateur, une armoire, quelques cadres en bois, une dizaine d'ustensiles de cuisine, un porte-chaussures et un splendide porte-poussière moderne (lire ici : un tapis en fourrure *fluffy*).

Avant de vider mes vingt-trois mille quatre cent dix-sept boîtes, j'avais pris soin de peindre mon nouvel environnement. Je m'étais acheté des contenants d'orange brûlée et de rouge pompier pour recouvrir les murs de ma chambre, de ma salle de bain et de la pièce qui me servait de salon-bureau-cuisine-salle à manger. J'allais assurément regretter mes choix dans moins d'un mois, mais le délire de couleurs antidépressives de mon premier appartement m'apparaissait comme un passage obligé. Afin de mettre la touche finale à la décoration de ma chambre, j'avais accroché une photo de moi à cinq ans. Sur le cliché, on me voyait flotter dans la mer, la bouche, le nez, les joues et les yeux hors de l'eau au premier plan, pendant que la tempête du siècle se profilait à l'horizon. Sans le savoir, mon père avait mis le doigt sur ce qui lui vaudrait sa première récompense internationale.

Presque quinze ans plus tard, la photo était encore ce que je faisais le mieux quand j'avais besoin de me changer les idées. Parmi les images que j'avais récoltées la veille, plusieurs méritaient d'être retravaillées. Après six heures de retouches, j'ai regardé l'heure sur mon cellulaire : il ne restait que trente-cinq minutes avant mon rendez-vous avec Clara. Pas le temps de réfléchir. Je suis sorti en essayant de survivre à la descente éclair de mon escalier en colimaçon, pendant que l'autobus rugissait à deux coins de rue. Je me suis battu avec les poches de ma veste pour trouver ma carte de transport, j'ai profité des dix minutes du trajet pour reprendre mon souffle et j'ai couru une fois de plus pour franchir les portes du métro avant qu'elles se referment derrière moi.

J'allais bientôt retrouver Clara, la belle exilée. Trois ans après avoir quitté Matane pour étudier en sciences humaines au cégep du Vieux Montréal, mon amie avait entrepris un bac en psychologie à l'UQAM. Comme elle n'avait jamais éprouvé la moindre difficulté à suivre ses cours avec trois heures de sommeil dans le corps, Clara obtenait des résultats qui frôlaient l'indécence aux yeux de ses collègues de classe. Elle préférait sortir dans les clubs du Village cinq fois par semaine plutôt que de se consacrer à une étude qui ne lui était pas nécessaire. Mon amie avait établi une routine festive bien précise : les mardis et mercredis au Cabaret Mado, les jeudis au Parking, les vendredis au Unity et les samedis au Sky. Même si elle n'avait pas le moindre intérêt pour les filles — au grand dam du cercle lesbien montréalais qui espérait que mon amie se découvre de nouvelles affinités —, elle préférait les bars du quartier gai à ceux des rues Saint-Laurent, Crescent, Peel ou Mont-Royal.

— Les gars ont pas plus de classe qu'ailleurs, mais au moins, ils essayent pas de me cruiser avec des phrases épaisses, disait-elle chaque fois que quelqu'un essayait de comprendre ses préférences.

Taille moyenne, teint très pâle, lèvres maquillées d'un rouge éclatant, seins qui faisaient damner à peu près n'importe qui, chevelure d'un blond-blanc immaculé, Clara attirait l'attention sans faire d'effort. Question d'être jalousée pour l'ensemble de son œuvre, elle s'affichait comme une fille brillante, confiante et pleine de répartie. Résultats des courses : 75 % des filles hétéros la détestaient instinctivement sans trop savoir pourquoi, 75 % des gars hétéros voulaient coucher avec elle en sachant très bien pourquoi, et son entourage était constitué à 95 % d'homosexuels qui lui permettaient d'éviter jalousie et ambiguïté. Depuis qu'elle habitait la métropole, Clara s'était permis à peu près toutes les folies : nuits blanches, surdoses d'alcool, expériences avec le hasch, le *speed* et l'ecstasy, en plus des multiples frenchs offerts par les gais, lesbiennes, *drag queens* et autres transgenres qui la saluaient dans les bars. Son quotidien était à des années-lumière du mien. Je n'avais jamais fumé la cigarette, aucun de mes amis n'était gai et je ne frenchais jamais d'inconnus en arrivant dans un endroit public. Pourtant, rien de tout cela ne me posait problème.

J'adorais mon amie, son attitude, ses extravagances et son rouge à lèvres couleur sang qui me permettait de la retrouver à travers la foule éparse du métro. À la seconde où je l'ai aperçue, je me suis lancé dans ses bras.

— Je suis tellement content de te voir !

— Moi aussi, mon loup ! Ça fait trop longtemps.

Près de deux mois s'étaient écoulés depuis que j'avais profité de mon dernier congé pour la visiter.

— Je pense que je suis encore traumatisé par notre soirée Chez Mado, dis-je en marchant vers la sortie de la station de métro.

Le Cabaret Mado, véritable temple de *drag queens,* attirait la lesbienne nouvellement assumée, le groupe d'hétéros venu voir « de quoi ç'a l'air des gais » et la future mariée qu'on traînait de force pour son enterrement de vie de jeune fille. Au menu : paillettes et perruques multicolores, chaussures aux talons vertigineux, robes ultracourtes ne révélant rien des attributs masculins, *lip sync* et chorégraphies réglées au quart de tour. La sélection musicale se composait des succès des divas de la pop : Britney Spears, Gwen Stefani, Pink, Christina Aguilera, Rihanna, Céline Dion, Kylie Minogue, Shakira, Lady Gaga et l'incontournable Madonna.

— T'étais tellement gêné, Émile! Tu restais là, tout surpris, les mains crispées sur mon bras.

— C'est pas comme si ça faisait partie de mes habitudes.

— Pis c'est pas moi qui vais t'encourager à ce que ça en devienne une. C'est fini les niaiseries.

— Ça veut dire quoi, ça?

— Que j'ai encore sept ans d'études devant moi et que c'est certainement pas en fêtant cinq soirs par semaine que je vais devenir une psychologue respectée.

— Tu vas te transformer en fille plate?

— Ben non, grand niaiseux. Je vais seulement étudier fort, voir mes amis et tomber amoureuse.

— En tout cas, c'est pas avec toi que je vais découvrir le *nightlife* de Montréal.

— Émile, fais-toi pas d'accroires. T'as pas ça dans le sang. À la place, on devrait se faire des soirées cinéma.

— Si tu rencontres pas ton prince charmant avant…

— Le prince charmant m'intéresse pas. Je veux juste trouver un gars qui a de la gueule.

— C'est un critère de recherche pas mal flou, ça.

— Je le sais, mais je préfère me laisser porter plutôt que de passer mes soirées devant mon ordinateur à regarder des profils.

— Ça vaut rien ces affaires-là, de toute façon. Y a juste des pervers, des débiles, pis des gars qui ont rien à dire là-dessus.

On arrivait au coin des rues Berri et Sainte-Catherine.

— On parlera de tes hommes une autre fois. J'ai décidé que je te faisais visiter le reste du Village pour que t'arrêtes de t'imaginer n'importe quoi. Pis je vais en profiter un peu avant de prendre une pause.

— La soirée aux *drag queens*, c'était pas assez?

— Eille, si tu penses que le Village se résume à des gars qui se déguisent en filles pour faire un *show*, t'as vraiment rien compris.

— J'ai jamais dit ça…

— Je le sais, mais t'es trop coincé. Ça commence à être ridicule. Allez, suis-moi.

Premier arrêt : Priape, la boutique érotique du Village où deux mannequins en plastique batifolaient dans une baignoire installée sur du faux gazon. Le rez-de-chaussée du magasin était rempli d'une panoplie de caleçons, de magazines, de films pornos, de condoms et de lubrifiants. À la seconde où nous avons mis les pieds dans l'escalier menant au sous-sol, une odeur étrange est apparue. Autour de nous, des dizaines de pantalons et de t-shirts pour les fétichistes du latex et du cuir, en plus d'un combo harnais-cravache pour les sadomasos.

— *My God...*

Clara me regardait avec un sourire malicieux.

— Du calme, garçon. C'est rien comparé à ce que je vais te montrer.

Sans me laisser le temps de répliquer, elle m'a dirigé vers les présentoirs où se trouvait une série de jouets sexuels permettant à ses propriétaires de modifier leurs organes génitaux de toutes les façons possibles.

— Le tien, il ressemble à quoi ? lança-t-elle en attirant mon attention vers les pénis en plastique qui reproduisaient la dimension, la couleur et le relief du sexe des acteurs pornos les plus populaires.

— Eille, c'est pas parce que j'entre dans un *sex-shop* sans faire un scandale que je vais te parler de ce qui se cache dans mon boxer...

— T'es tellement prude, Émile.

— Pantoute. T'es juste pas habituée aux gars qui refusent de faire tes quatre volontés.

— Bon, arrête de dire des niaiseries. On a d'autres places à visiter.

Deuxième arrêt : l'Aigle Noir. Dans ma tête, ce nom-là avait toujours été celui d'une chanson de Marie Carmen que j'avais écoutée jusqu'à m'écœurer quand j'avais huit ans. Aujourd'hui, je faisais connaissance avec la version «bar conçu pour les amateurs de cuir» dudit oiseau foncé.

Un instant après notre arrivée, Clara m'a abandonné pour aller aux toilettes.

— Tu commanderas deux *shooters* de vodka. On prend un verre et on finit la soirée ailleurs.

Autour de moi, une trentaine d'hommes discutaient au son de la musique électro et des écrans télé qui diffusaient des films pornos beaucoup plus *hard* que tout ce que j'avais pu voir dans ma vie. J'attendais le retour de mon amie en imaginant les clients m'attribuer des notes sur un petit carton blanc. Le serveur est venu interrompre mes hallucinations.

— Ils vont pas te manger tsé…

Mon sens de la répartie semblait coincé quelque part entre mon inconfort et mon imagination.

— Qu'est-ce tu veux… avec ta petite gueule d'ange, tu peux pas les empêcher d'aimer ça te regarder.

— Deux vodkas… dis-je en sortant de ma léthargie. Deux *shooters* de vodka, s'il vous plaît.

— Tout de suite, mon beau.

J'étais en train de compter les carreaux du plancher lorsque mon amie m'a rejoint.

— Coudonc, t'es-tu fait attaquer par quelqu'un? T'es tout blême…

— T'as dit qu'après avoir bu un verre on s'en allait, *right*?

— Euh… Oui, oui. On va finir la soirée ailleurs.

Les *shooters* sont arrivés.

— Ben regarde-moi aller!

J'ai bu les deux verres, cul sec.

— T'es tellement niaiseux quand tu veux…

— Viens-t'en. On sort d'ici.

De retour rue Sainte-Catherine, mon innocence et ma vertu se sont fait pousser dans le dernier lieu où je me serais vu en plein après-midi : un bar de danseurs !

— Change de face, Émile. Il est à peu près temps que tu voies des gars tout nus ailleurs que sur Internet !

— J'ai rien demandé, moi…

— Tu me remercieras tantôt. Allez, avance.

Sur la scène, un homme d'environ vingt-cinq ans, musclé, bronzé et huilé, remontait l'élastique de son boxer avec nonchalance. Plusieurs de ses collègues déambulaient torse nu entre les tables. Certains saluaient des clients, une main sur l'épaule, le regard faussement intéressé, visiblement prêts à tout pour les convaincre de s'offrir un extra. Clara suivait mon regard depuis le début.

— Je me demande s'ils se font toucher pendant les danses privées. Veux-tu que je t'en paye une pour vérifier ?

— Si tu fais ça, je te parle pus pendant six mois !

« Et maintenant, accueillons le beau Maverick », proclama une voix nasillarde à l'élocution douteuse.

Des écrans diffusaient des images de son numéro sur tous les murs du bar. La caméra alternait entre des plans larges, moyens et particulièrement serrés du colosse de six pieds, qui tentait de nous convaincre de son talent — inexistant — pour la danse et le déhanchement. Au moment de faire tomber son pantalon à mi-cuisses, Maverick a glissé sa main dans son caleçon afin d'empoigner son sexe avec une fierté digne de Néandertal. Mon attention faisait des allers-retours entre le tissu dont il ne semblait pas vouloir se départir et les télés qui projetaient des gros plans de son postérieur.

— Il doit être à son premier numéro, dit Clara. Les gars viennent *teaser* les clients en première partie et ils montrent tout en deuxième.

— Comment tu sais ça, toi ?

— Je suis venue à une soirée des dames il y a un an. Je me suis arrangée avec le gars à l'entrée pour qu'il me laisse passer aujourd'hui.

Les coutures de mon pantalon tentaient de résister à la pression exercée par mon excitation lorsqu'un duo de danseurs s'est amené. Jason et Santiago s'amusaient avec leurs poteaux respectifs quand un filet d'eau, sorti du plafond, s'est répandu sur eux, les convainquant aussitôt de se débarrasser de leurs sous-vêtements. Instinctivement, je me suis tourné vers Clara.

— Ils vont se toucher, tu penses?

— Non… Les danseurs du Village sont presque tous hétéros.

— Pis ça les dérange pas de se faire regarder par des gars?

— Bah, c'est probablement moins compromettant pour ceux qui ont des blondes de danser devant des gais plutôt que devant des femmes en chaleur.

Dans ce royaume de l'ego, des pectoraux et des abdominaux, nous avons vu défiler les sexes en demi-érection d'une douzaine de danseurs. Au moment où «le beau Derek de Jonquière» a commencé à se regarder danser sur les écrans, mon cellulaire s'est mis à vibrer dans mon pantalon.

«Numéro inconnu»

Je me suis précipité vers la sortie.

— Allô?

— Bonjour Émile, c'est Karyne Constantineau, de l'agence de placement. On vient de recevoir une offre qui pourrait peut-être vous intéresser. C'est un travail au service du soutien administratif d'une entreprise du Vieux-Montréal.

— Pouvez-vous me donner des détails sur le poste?

— Pas pour l'instant. Je sais que l'entreprise exige un candidat organisé, polyvalent et doué en communication. Elle offre vingt-cinq heures par semaine, mais l'employé doit accepter d'en faire davantage quand le besoin se fait sentir. Ça vous intéresse?

Vivement mon premier chèque de paie!

CHAPITRE 3

Presque deux semaines après avoir déménagé en espérant donner naissance à ma vie relationnelle, je n'avais toujours aucun
prospect en vue, pas de rendez-vous manqué ni même de baiser furtivement volé. Seules quelques discussions à peine stimu-
lantes m'avaient occupé. Le constat était désolant. Devant mon
incapacité à gérer cette crise du manque amoureux, je suis allé
m'échouer sur mon canapé telle une baleine à bosse, pleinement
décidé à ne plus bouger jusqu'à ce que les secours viennent me
sauver. Ainsi prostré dans mon malheur, je me suis souvenu d'un
des trucs de ma grand-mère : « Quand ta tête ressemble à un trou
noir, prends ton balai, tes chiffons pis ton Windex. Ça fait sortir
le méchant ! »

De toute évidence, je ne pouvais pas nettoyer mon appartement sans m'accompagner d'une musique faite sur mesure pour
le ménage : les plus grands succès du groupe ABBA. Je testais le
fonctionnement de mes cordes vocales en frottant mon plancher,
la cuvette de la toilette et les murs de ma douche. Au début du
refrain de *Gimme ! Gimme ! Gimme ! (A Man After Midnight)*, j'ai
senti mon dégoût pour le célibat faire vaciller ma bonne humeur.
Lorsque la mélancolique *I Have a Dream* a vibré dans mes haut-
parleurs, une triste réalité est revenue me frapper : il me faut un
homme à tout prix ! Comme je ne connaissais toujours aucun
homosexuel sur l'île de Montréal, je n'avais d'autre choix que de

me rabattre sur mon indéfectible alliée des deux dernières décennies : la facilité.

La veille de son retour en Gaspésie, la *mamma* m'avait remis le courriel du «petit Valéry», le fils gai d'une amie qui vivait à Montréal. Le temps était venu de l'utiliser. Tout juste une heure après l'envoi de mon invitation pour une rencontre, sa réponse est apparue : «On pourrait aller souper ce soir si tu veux. On fera ça en l'honneur de nos deux mères qui rêvent qu'on finisse ensemble.»

Usant du minimum de rationalité dont j'avais hérité à la naissance, j'ai réalisé que j'ignorais presque tout de Valéry. Ma mère me l'avait présenté comme un charmant garçon de bonne famille, mais je vivais beaucoup trop mal avec l'inconnu pour me contenter d'une aussi brève description.

Google, here I come!

Une demi-douzaine de clics plus tard, je suis tombé sur un article relatant les détails d'une poursuite en justice intentée par un jeune employé d'un restaurant qui affirmait avoir été mis à pied injustement en raison de son handicap physique.

C'est quoi cette histoire-là ? La mamma *n'a jamais dit que Valéry était handicapé !*

Instinctivement, je me suis mis à prier le ciel avec une dévotion qui m'était totalement inconnue jusque-là.

S'il vous plaît, Monsieur Dieu, faites que le handicap de Valéry soit minuscule. Même si je ne suis pas un bon pratiquant qui va perpétuer la race humaine, soyez gentil avec moi. S'il vous plaît !

Deux heures avant mon premier rendez-vous galant, j'analysais le contenu de ma garde-robe afin de choisir les vêtements qui convenaient le mieux à mes humeurs du moment.

– Classique et funky : pantalon sobre et chemise colorée.
– Faussement détaché : jean décontracté, t-shirt et cardigan de coton.

− Branché et cool : jean pâle, chemise foncée et veston classico-désinvolte.

Euh, un instant ! Ta préoccupation principale, c'est vraiment ton linge ?

Qu'est-ce qui me garantissait que Valéry n'allait pas partir en courant après m'avoir dévisagé ?

En supposant qu'il ait encore l'usage de ses jambes.

Je n'avais absolument rien pour l'impressionner… Quel genre de personne voudrait d'un gars qui n'a aucune idée de ce qu'on ressent en embrassant autre chose que la paume de sa main, d'un passionné de photo fermé à l'idée d'en parler et de quelqu'un qui n'a jamais voyagé ?

Avoir su que c'était confrontant de même rencontrer un gars, j'aurais peut-être pas déménagé…

Un nouvel appel en Gaspésie s'imposait.

— *Mamma*, je pense que je suis une cause perdue…

— Coudonc, veux-tu ben me dire ce qu'il y a dans l'air à Montréal pour que tu racontes autant de niaiseries ?

— Arrête… J'ai juste l'impression d'être comme un yogourt passé date : j'ai peut-être encore plein de bonnes choses à offrir, mais personne veut vérifier ce que ça goûte…

— Trésor, si tu joues à «dis-moi-qui-tu-voudrais-que-je-devienne-pour-que-je-change-et-que-je-me-sente-moins-seul-dans-la-vie», tu vas trouver le temps long…

— Mais je sais même pas de quoi parler avec Valéry !

— Commence par apprendre à le connaître. S'il est assez intelligent pour t'imiter, ça va se faire tout seul.

— Et s'il a pas envie ?

Bonjour, je m'appelle Émile et je suis un Insécure Anonyme.

— Tu finis ton repas et tu dis que tu dois rentrer.

— Aussi simple que ça ?

— Je vois pas pourquoi ce serait compliqué.

— Promis ?

— Si tu me jures que c'est la dernière fois que tu passes cinq jours sans me donner de nouvelles, je suis prête à te promettre n'importe quoi, mon grand.

Une tasse et quart de réconfort, une cuillérée à thé de sagesse, une pincée de culpabilité: tel était le remède à mes crises d'angoisse.

Valéry était un joli jeune homme de dix-neuf ans, cheveux noirs tenus très courts, yeux noisette, jean déchiré avec style à mi-cuisses, t-shirt à col en V, Converse aux pieds, souriant, pas trop gêné et somme toute assez sympathique. Jusque-là, tout allait bien.

Pendant que nous marchions en cherchant un restaurant, son handicap a pris forme de façon juste assez subtile pour que personne d'autre que moi ne s'en rende compte: un filet de salive mouillait sa lèvre inférieure. Malaise.

Son problème s'amplifiait à chacun de nos pas. Après quelques minutes, Valéry a sorti un mouchoir pour se débarrasser du déluge.

— Je sais que c'est bizarre de te demander ça... mais as-tu remarqué quelque chose?

— Remarquer quoi?

Ma voix était juste un peu trop aiguë pour ne pas trahir mon inconfort.

— Émile... Fais pas l'innocent. Ton visage est beaucoup trop expressif.

FUCK.

— Ben là, je suis censé répondre quoi? Que tes glandes salivaires sont pas mal expressives, elles aussi?

Loin d'être désarçonné par ma vacherie, Valéry semblait déterminé à vider la question.

— J'ai un problème de glandes incontrôlable... D'habitude, je réagis rapidement, mais j'ai rien senti tantôt.

Charmante soirée en perspective.

Je ne pouvais m'empêcher de jeter des regards obliques aux passants pour m'assurer qu'ils ne me jugeaient pas, moi, en le voyant, lui. La vie allait-elle m'en vouloir si je mettais fin abruptement à notre rendez-vous?

Tu serais tellement poche si tu faisais ça, Leclair.

Des souvenirs de l'émission *Ally McBeal* me sont soudainement revenus en tête. Quand je regardais les déboires amoureux de mon héroïne télé favorite, j'imaginais vieillir exactement comme elle : célibataire endurci, doté d'un monde imaginaire encombrant et mourant avec la conviction que la vie ne valait rien sans amour.

C'est le temps de prouver que tu vaux mieux qu'elle...

Au lieu de partir en courant, j'ai proposé à Valéry d'aller manger au Saloon : un menu nord-américain diversifié, un éclairage à mi-chemin entre celui d'une boîte de nuit et d'un restaurant branché, une trentaine de jolis hommes et une tête d'orignal en guise de décoration. Devant la table qui nous a été assignée, il a choisi la chaise faisant face au mur, où trônait un énorme miroir.

Probablement pour voir si sa salive faisait encore des siennes...

Après avoir commandé, Valéry a ouvert la discussion avec quelque chose comme du désintérêt dans le regard.

— Ma mère m'a dit que t'étudiais en photographie...

— J'ai eu mon diplôme au début du mois...

J'étais manifestement peu enclin à l'idée d'approfondir le sujet. De son côté, Valéry faisait l'étalage des onomatopées qu'il connaissait pour me donner l'impression que ma vie l'intéressait. Sa concentration était perdue quelque part entre la paire de lèvres du voisin de gauche et l'entrejambe de celui de droite.

— Et toi, t'étudies en quoi?

— Je vais suivre des cours de sciences humaines cet été. Je viens de rentrer d'une année d'immersion en Afrique du Sud.

— Tu me niaises? Un de mes voisins a fait la même chose. Il s'appelle Gabriel Gagnon.

— Ouais, je le connais. En arrivant à Johannesburg, on a dormi dans la même chambre d'hôtel avant de se séparer pour aller dans nos familles d'accueil. À un moment donné, il a pris sa douche la porte ouverte… Il a un ostie de beau cul !

Bon, selon la théorie de la chroniqueuse qui prétend qu'on cherche notre père chez son amoureux, je peux déjà dire que Valéry n'a aucune chance de devenir mon futur mari. Gros manque de classe, le gars !

Question de laisser le malaise se dissiper, je me suis levé pour aller aux toilettes, sans voir le sac du voisin qui traînait sur mon chemin. Résultat : mes six pieds deux pouces de corps ont trébuché sur le plancher. La vingtaine de clients du restaurant se passionnaient désormais pour la honte qui monopolisait mon visage. Je venais d'établir ma réputation aux yeux de tous.

Émile Leclair = pitoyable.

Je resterais célibataire jusqu'à la fin des temps, et on me retrouverait mort à quatre-vingt-trois ans, entouré de mes vingt-sept chats, qui me regarderaient avec pitié, l'air de dire : « Même pas capable de mourir dignement. »

CHAPITRE 4

9 h 29 — dimanche 18 avril 2010

> **À :** **La mamma** (oceanmere@hotmail.com)
> **De :** Émile Leclair (mile_et_une_nuit@hotmail.com)
> **Objet :** Mon nouveau patron gagne 750 000 $ par année, minimum !

Salut !

Ton p'tit gars vient d'être engagé pour devenir guide à la Bourse de Montréal ! Je vais mettre du beau linge, faire le perroquet trois fois par jour, passer l'après-midi à la réception, pis ils vont me payer pour ça !

En passant, c'était vraiment chien de me suggérer de rencontrer Valéry-le-Baveux (je t'entends rire jusqu'ici…). J'ai eu droit à deux chaudières de salive, une discussion sur les fesses de Gabriel Gagnon et je me suis même effondré sur le plancher du resto. C'est clair que je vais rester traumatisé à vie.

Je t'embrasse pareil !

Émile

P.-S. Je commence ma formation dans une semaine.

::

Dimanche 18 avril 2010

Salut trésor,

Comme tu vois, je suis incapable de te répondre par courriel. Quand j'ai quelque chose de sérieux à dire, je l'écris sur du beau papier. Je suis faite comme ça.

J'ai besoin de te parler de l'année où ton père a quitté Rivière-du-Loup pour venir s'installer à Matane. Dans ce temps-là, Paul occupait son temps en faisant deux choses : prendre des photos et me faire la cour. Il disait que je l'avais aidé à tomber amoureux de la région, et que si ce n'était pas de moi, il serait peut-être allé voir ailleurs. Pour lui, le seul moyen de continuer à vivre sans affronter la déception de sa famille, c'était de changer de ville. Ton grand-père disait à toute la parenté que son plus vieux «faisait rien d'autre que de pelleter des nuages». Quand il a réalisé que Paul voulait faire carrière en tant que photographe, ça a été la goutte qui a fait déborder le vase. «Tes enfants vont crever de faim juste parce que t'es pas assez responsable pour avoir une job normale!» Ton grand-père était persuadé que son garçon allait gâcher sa vie à cause de son «ostie de Kodak». À dix-neuf ans, Paul est parti sans rien demander à personne.

À partir de ce moment-là, ton père a toujours eu besoin d'être le meilleur pour se donner l'impression d'être quelqu'un de bien. Quand la pression devenait trop forte, il partait marcher pendant des heures sans donner de nouvelles. Je savais que la meilleure façon de le garder près de moi était de le laisser aller. Le jour où tu m'as annoncé que tu voulais déménager, j'ai décidé d'agir de la même façon.

Tu ressembles tellement à ton père, Émile, je pense que tu ne le réalises même pas. Je m'ennuie de vous voir ensemble. Je m'ennuie de vous entendre rire dans la chambre noire parce que t'essaies de le convaincre que c'est toi qui as pris la plus belle photo du jour. Je m'ennuie des soirées qu'on passait à préparer ses voyages pour le travail. Je m'ennuie de notre famille.

Quatre ans sans Paul. Quatre ans depuis l'accident. Quatre ans depuis sa lubie de vouloir faire de la photo sous-marine. Quatre ans sans comprendre ce qui a pu se passer dans sa tête pour qu'il veuille en faire un peu plus, même si la bonbonne d'oxygène lui indiquait de remonter. Si tu savais comme je lui en ai voulu. Les premières semaines, j'allais me coucher avec la peur de mourir étouffée. J'avais perdu le contrôle...

À un moment donné, j'ai compris que tu avais besoin d'une mère forte. Après l'accident, on aurait dit que tous les prétextes étaient bons pour que tu viennes te coller sur moi. Tu avais le regard d'un petit garçon qui n'accepte pas de voir sa mère le laisser à la garderie parce qu'il a peur qu'elle ne revienne pas. En même temps, je pense que la mort de ton père t'a obligé à vieillir trop vite. Tu es devenu une vieille âme à qui on devait tenir la main.

Je te raconte tout ça parce que je vois ce qui se passe avec toi depuis quelque temps et je m'en voudrais si tu tombais dans les mêmes pièges que ton père. Je sais que tu as besoin de t'affirmer et de découvrir qui tu es à l'extérieur de Matane, mais n'oublie pas que l'amour que tu espères ne sera jamais proportionnel à ce que tu vas accomplir. S'il faut que tu prennes tes distances pour le comprendre, c'est correct. Je pense aussi qu'il est grand temps pour moi de retrouver la femme que je suis en dessous de la mamma que je suis devenue. J'ai besoin de vérifier si je suis aussi solide que je le prétends. Le moment est venu de couper le cordon, mon trésor. Ça ne sert à rien de nous culpabiliser parce que notre relation n'est plus ce qu'elle était.

Tu n'appartiens à personne d'autre qu'à toi, Émile. Ne l'oublie jamais.

Mamma

::

Le soleil n'était pas encore levé, mais je n'arrivais déjà plus à dormir. Ma tête tournait autour d'un seul et même sujet : la *mamma*, sa lettre, le cordon qui se coupe. Au lieu de perdre mon énergie à essayer de me rendormir, je me suis levé, j'ai préparé mon sac et je suis sorti marcher : le parc Laurier à ma droite, l'appartement de Clara rue Rachel à ma gauche, une pente par-ci, un sentier par-là, voilà que je déambulais sur le chemin du parc Lafontaine. Quand j'ai vu le pont de bois qui surplombait le petit lac, je suis allé m'y installer et j'ai laissé mon appareil en profiter. Ma respiration commençait tout juste à se calmer.

Après une demi-heure à jouir de cette oasis de nature urbaine, j'ai rejoint la rue Saint-Denis, où des dizaines de travailleurs marchaient en buvant leur café. Je contournais les lunatiques de la matinée et voyais le Saint-Laurent apparaître peu à peu. Les silos à grains ajoutaient une touche de gris et de ferraille au paysage.

Vers huit heures et demie, je me suis dirigé vers la rue Saint-Paul en visualisant le plan du secteur que j'avais appris par cœur. Une fois à l'intérieur de la Bourse de Montréal, je suis allé m'asseoir sur un énorme banc de marbre. Des centaines d'avocats, de fiscalistes, d'analystes, de secrétaires et d'actuaires bourdonnaient autour de moi. Ils marchaient presque tous au pas de course en pénétrant dans l'immeuble, ralentissaient à cinq mètres de l'ascenseur, prenaient une inspiration et se préparaient pour une autre journée de travail. Malgré les généreux moyens dont la plupart d'entre eux disposaient pour faire le plein de tailleurs, de robes et de complets, nombreux étaient ceux qui faisaient preuve d'un mauvais goût exemplaire. Outre la quantité criminelle de vêtements beiges, kaki et bourgogne *vintage* qui brûlaient ma rétine, le défraîchi côtoyait le faussement chic avec une rare intensité. Heureusement pour mon portefeuille, j'avais trouvé le moyen d'avoir un minimum de classe, sans flamber mes économies, en achetant un joli pantalon gris chez Simons, une chemise blanche à pois chez H&M et un débardeur noir dans une friperie de Matane.

L'horloge au-dessus des ascenseurs indiquait huit heures quarante-neuf. J'essayais de trouver comment me rendre au troisième étage, mais je ne voyais rien d'autre qu'un écriteau annonçant les étages cinq à trente-sept. Le gardien qui me suivait du regard depuis mon arrivée s'est approché de moi.

— Je peux vous aider?

— Oui, j'aimerais aller aux bureaux de la Bourse de Montréal.

— Allez au fond à gauche. Il y a des ascenseurs pour chaque groupe d'étages.

— Oh, merci.

C'est toi le nouveau guide de la place et t'es même pas capable de t'y rendre. Ça promet...

Je n'étais plus certain d'avoir fait le bon choix en acceptant cet emploi: guider des centaines de visiteurs dans un labyrinthe de couloirs et maîtriser l'histoire de l'institution m'insécurisaient bien plus que je ne l'aurais cru.

«Il suffit d'être attentif pendant tes journées de formation, de prendre des notes, d'étudier chez toi, et tout devrait bien aller», m'avait expliqué mon superviseur, lorsqu'on s'était parlé au téléphone. «Après deux ou trois semaines de visites, tu vas te sentir à l'aise comme si t'avais fait ça toute ta vie.»

Autre détail qui jouait en ma défaveur: je ne m'étais jamais vraiment intéressé au domaine de la finance. Même si mon bulletin de cinquième secondaire affichait un résultat de 97 % en économie (lire ici: j'avais compris une dizaine de principes aussi simples que celui de l'offre et de la demande), je n'avais aucune idée de ce qui différenciait le Dow Jones du Nasdaq.

::

Après une semaine de formation où j'avais emmagasiné un amas de chiffres, de dates, de noms et d'informations plus banales les unes que les autres, on me demandait de feindre l'enthousiasme et de servir un discours prémâché aux étudiants qui faisaient le pied de grue devant moi. J'avançais, je parlais, je prenais une nouvelle direction, je m'arrêtais un instant pour répondre à une question, je revenais sur un détail et je redécollais, comme j'allais le faire trois fois par jour, cinq jours semaine. Accompagné d'une trentaine d'ados désintéressés, je marchais vers ce qui servait jadis de parquet. Pendant que ma bouche énumérait des platitudes, j'imaginais un professionnel de la pécune s'agiter en tous sens, cellulaire à l'oreille, des dizaines d'écrans sous les yeux, le visage crispé et la voix au maximum de sa capacité. Une voix qui avait pour but de performer, de faire fructifier et de rapporter.

« Toujours plus de fric » était une devise à laquelle n'adhérait pas Paul Leclair, cet homme-papa qui avait toujours eu d'autres aspirations que celles de faire une montagne d'argent. Un homme-papa qui avait pourtant ressenti le besoin de prouver à tout le monde que rien ni personne ne pouvait l'arrêter. Un homme-papa qui avait manqué d'oxygène, au lieu de remonter à la surface pour s'occuper d'un ado qui avait encore besoin de lui. Un grand garçon qui ne savait désormais plus à qui ni à quoi se rattacher. Un sage gamin qui n'avait trouvé d'autre moyen pour aller mieux que d'oublier un fragment de son histoire. Un gamin rieur qui avait fait le choix de garder le sourire plutôt que d'essayer de comprendre ce qui lui était arrivé. Un homme-enfant qui, dans le fond, ne s'inquiétait pas de perdre sa *mamma*, mais qui n'avait jamais appris à dire au revoir…

::

Réflexion sur les photos de profils de ToietMoi.com

Les photographies supposément professionnelles :
- démontrent l'étendue des mauvais résultats qu'un éclairage de location peut produire ;
- prouvent que ce n'est pas parce que tu poses devant un fond uni que tu vas devenir beau ;

﹣ permettent de constater à quel point les poses de mannequin (cou vers l'avant, visage de profil, lèvres légèrement tendues, dos cambré, bras en l'air et regard pleinement confiant)
devraient être réservées à des professionnels, question d'éviter
quelques chocs nerveux.

* Mention spéciale de dégoût aux hommes qui proposent leurs
« compétences » en photo aux jeunes homosexuels en manque
d'amour-propre. Pendant que les premiers se rincent l'œil, les
autres se donnent l'impression d'exister devant une lentille.

Nos amis les animaux :

﹣ Je peux comprendre qu'une personne soit en adoration devant
toutou et minou, mais lorsque le tiers d'un profil est consacré
à un chien, un chat, un cheval ou une perruche, je me dis que
les habiletés sociales de leur propriétaire sont probablement
incompatibles avec les miennes.

Sexe, miroir et déguisements :

﹣ Tes fesses pleines de sable de Punta Cana et tes positions ins-
pirées d'un site de porno *cheap* sont censées me laisser quelle
impression de toi ? Que ton cul est plus intéressant que ton
Q.I. ? Que ton phallus va me révéler quelque chose de fonda-
mental sur ta personnalité ?

﹣ Ta face embrouillée devant un miroir taché de dentifrice,
c'était vraiment nécessaire ?

﹣ Tes costumes de Chewbacca, de Captain America et de geisha
transgenre ne transmettent probablement pas le message que
tu espères. *Just sayin'*…

﹣ Si les seules photos que tu affiches sont trop petites, trop floues
ou trop sombres pour qu'on te reconnaisse, pourquoi devrais-
je prendre le temps de les regarder ?

CHAPITRE 5

Ses quinze ans d'expérience avaient grandement simplifié ma formation. Douce et patiente, Marcelle m'avait appris à gérer dix
lignes téléphoniques sans m'arracher les cheveux, à répartir le
courrier selon les spécialités de chacun des services et à traiter
certaines factures. Dès que j'apercevais ses longs cheveux blond
doré, son teint de porcelaine et son large sourire, je ne pouvais
faire autrement que de me laisser emporter par sa bonne humeur.
Chaleureuse et avenante, la réceptionniste principale de la Bourse
de Montréal était un modèle de respect envers les clients qui s'ar-
rêtaient à son bureau. Même avec le vieux schnock qui s'amusait
à me ridiculiser parce que j'occupais un poste historiquement
réservé aux femmes.

— Vous n'avez rien de mieux à faire, jeune homme?

— Je travaille beaucoup plus que vous pouvez l'imaginer…

— Il me semble que vous ne devriez pas perdre votre temps
avec le téléphone, de la petite paperasse et des affaires de femmes.
Sans offense, Madame, ajouta-t-il à l'endroit de Marcelle.

— Au contraire… réussir à faire son travail dans la bonne
humeur, pendant qu'on lui sert les mêmes remarques plates jour
après jour, ça demande un certain talent, vous trouvez pas?

Incapable de répliquer, le vieillard m'a remis le paquet qu'il
transportait avant de disparaître dans l'ascenseur avec des airs de
diva effarouchée. Marcelle riait comme une gamine.

— T'avais pas besoin de prendre ma défense. Mais j'apprécie.

— N'importe quand.

Plus tard en soirée, j'essayais de m'inventer des talents pour cuisiner lorsque les souvenirs d'une discussion avec Clara ont refait surface : les pieds dans la mer, un joint de marijuana entre les doigts, une casserole de Kraft Dinner sur les genoux, mon amie m'expliquait une de ses grandes théories sur la vie, et plus particulièrement sur la mienne.

— Moi, je dis que tu vas avoir ta première relation sexuelle vers vingt-deux ans. Mais je peux me tromper, tu sais…

— Pourquoi tu dis ça ?

— Je sais pas… C'est un *feeling* que j'ai.

À l'aube de mon vingtième anniversaire, la question me préoccupait plus que jamais : allais-je demeurer vierge jusqu'à vingt-deux ans ?

Plutôt crever !

Dans un élan de panique, je me suis emparé du magazine *Gay Life* qui traînait sur la table pour noyer mes craintes avec un peu de futilité. La revue homosexuelle par excellence du « Grand Montréal » proclamait en page trois que la course à l'homme idéal s'était transformée en pentathlon parsemé d'obstacles. Selon un recensement effectué auprès de la population gaie de la région métropolitaine, auquel j'avais soustrait les lesbiennes, les hommes en couple, les gens ouverts aux *one nights* et ceux qui n'étaient pas âgés de vingt à trente ans, il ne me restait que soixante-seize candidats !

T'as plus aucune raison de faire le difficile, mon homme…

Visiblement obligé d'alléger mes critères, j'ai pensé donner une deuxième chance à Valéry. Je m'étais juré de ne jamais le rappeler, mais le magazine me forçait à regarder la réalité en face : il était peut-être ma seule option pour assouvir mes bas instincts.

Tu veux frencher ? Ben prends ce qui passe !

À la suite d'un bref texto dans lequel je lui demandais de ses nouvelles, Valéry m'a invité à passer chez lui avant de l'accompagner dans un party. Une heure plus tard, je découvrais la maison cossue dans laquelle il avait grandi : plancher de marbre, cuisine aussi grande que mon appartement, table de salle à manger digne de l'époque des chevaliers, robinetterie en bronze, lustre gigantesque au plafond de la salle de séjour.

— Veux-tu que je te fasse visiter ma chambre ?

— Euh, ouphhhmmm, vvvoui, pourquoi pas ?

C'était ma première fois dans la chambre d'un prospect. Une pièce sans couleur, sans décoration, sans livre, sans CD, sans film. Seuls un lit, quelques vêtements par terre et une table de chevet occupaient l'espace. J'essayais de trouver quelque chose à dire au moment où il s'est approché, yeux clos et lèvres légèrement tendues.

Oh mon Dieu, il veut m'embrasser ! Relaxe, Émile, tout va bien aller. Avance vers lui et prends ça cool.

Les battements de mon cœur s'accéléraient et ma tête s'est mise à tourner. Au pire moment, un filet de salive est apparu sur la lèvre inférieure de Valéry. Mon instinct de survie me suggérait de reculer, mais il a comblé l'espace qui nous séparait : ma respiration s'est coupée, nos lèvres se sont frôlées, et je me suis crispé. Comme je ne voyais aucune autre solution pour améliorer la situation, je me suis mis à remuer les lèvres pour faire disparaître sa *super-wonder-duper* salive. Il me fallait à tout prix retrouver la pleine possession de mon organe buccal. Malheureusement pour mes projets d'indépendance, mon hôte semblait prôner un fédéralisme d'ouverture et planta sa langue dans ma bouche.

— Qu'est-ce tu fais ? cria Valéry que je venais de repousser brusquement.

— Rien… je veux juste pas aller trop vite.

— Ben là, j'allais pas te violer. Faut pas capoter !

— Je le sais, mais je veux prendre mon temps…

— Bon, un autre à qui il faut tout montrer.

Eille, je suis puceau, pas complètement débile!

Sur cette note de malaise évident, Valéry et moi sommes partis en direction de la Petite-Bourgogne où avait lieu la soirée d'anniversaire de son ami Éric. Au milieu de la trentaine d'invités, impossible de ne pas remarquer l'identité du célébré : des airs de grande folle, maigre comme un pic, des yeux maquillés d'un trait noir, des cheveux décolorés et un t-shirt sur lequel était écrit « *I can kiss everyone, it's my birthday!* ». Éric était un éternel étudiant qui avait obtenu un bac en littérature comparée avant de commencer une maîtrise sur la place de la culture autochtone dans le Québec de l'après-guerre. Pédant, snob, hautain, les synonymes me manquaient pour le décrire. Le roi de la soirée déblatérait sans se fatiguer avec un accent français qui disparaissait au fur et à mesure que se vidaient les bouteilles de vin. Il était l'exemple parfait du gai qui me donne envie de gerber.

Le souper a été servi une heure après notre arrivée. Pendant que je m'empiffrais de fromages, de bouts de pain, de petits pâtés, de saucisses et d'amuse-gueules, Valéry me flattait comme si j'étais devenu sa chose. Incapable de repousser ses avances gentiment, je me suis éloigné vers le salon, où j'ai écopé d'une conversation avec Éric-écoutez-moi-tout-le-monde.

— Alors, jeune homme, tu étudies en quoi ?

— Je viens de finir une technique en photographie.

— Et tu prends une année sabbatique avant de continuer à l'université ?

— Non, j'ai pas envie d'y aller pour l'instant...

— Comment ça, t'as pas envie ? Tout être intelligent doit y aller, voyons !

Je rencontrais pour la première fois un représentant de la mafia universitaire dont Clara m'avait tant parlé : des gens convaincus que l'université était la seule façon de se cultiver et que leurs diplômes faisaient d'eux des êtres dotés d'une intelligence supérieure. «La plupart vont te regarder de haut parce que t'as fait une technique, m'avait dit Clara. Ils verront probablement jamais que t'es aussi brillant qu'eux, sinon plus. »

L'université avait toujours été dans ma mire, mais je ne la considérais nullement comme la source du savoir absolu.

— J'ai pas besoin d'avoir un bac pour me donner l'impression d'être intelligent, répliquai-je en serrant les dents. Tsé, raconter à tout le monde que j'ai quatre bacs, deux maîtrises et un doctorat, je laisse ça à d'autres…

Une fraction de seconde plus tard, le rire d'Éric a retenti partout dans l'appartement.

— Je t'aime bien, toi ! T'as une grande gueule, et ça me plaît ! T'inquiète, j'ai pas dit ça pour être méchant. Je suis seulement un peu déconnecté de la réalité… Alors, tu connais Valéry depuis longtemps ?

— Pas vraiment, non…

— Vous sortez ensemble ?

Je patinais dans ma tête pour trouver une réponse qui sonnerait autrement que : «J'ai décidé de le revoir parce que je suis un peu désespéré. » Comme les surfaces glissantes n'avaient jamais fait partie de mes spécialités, je me suis planté.

— Oui, depuis une semaine environ…

— Vous vous êtes rencontrés comment ?

— Euh… par un ami commun.

Je ne vais quand même pas crier à tout le monde que ma mère a joué les entremetteuses…

— Bon, Éric, tu vas m'excuser, mais je dois rentrer.

Cette soirée avait assez duré. Je suis allé dire au revoir à Valéry avec un baiser furtif et je me suis retrouvé sur le trottoir sans savoir comment rentrer.

Du calme. T'as juste à te rappeler ce que t'as vu en te rendant.

Le fleuve, le dépanneur, la rue Guy où on a marché pendant quinze minutes, le viaduc… et la bouche de métro va apparaître à un moment donné.

Maudit que j'haïs ça pas savoir où je m'en vais !

La tête pleine de ce qui venait de se passer, je tournais dans mon lit depuis une heure. Tous mes sens en éveil. Je distinguais les moindres détails de mon appartement dans l'obscurité. Je sentais l'humidité de la nuit s'infiltrer par la fenêtre. Je percevais le bruit des voitures sur la rue. J'entendais…

Ah non ! Dégueu !

Mes voisins en train de baiser. J'habitais là depuis un mois et je ne les avais jamais rencontrés.

Eurk. Eurk. Eurk. Ça donc ben l'air désagréable !

Je discernais le souffle rauque de Voisin et le gémissement sans conviction de Voisine. Un quart d'heure plus tard, l'appréciation de monsieur s'est intensifiée jusqu'à ce qu'un grand soulagement se fasse entendre.

Bon, maintenant que vous avez eu votre plaisir, pouvez-vous s'il vous plaît me laisser faire de l'insomnie en paix ?

Le lendemain matin, quand j'ai vu Valéry sur Facebook, je me suis dit que je pourrais peut-être démontrer un peu plus d'ouverture que la veille.

— Coucou Valéry, comment ça va ?

— Bien, toi ?

— Super bien. Je voulais te dire… j'ai réfléchi à notre soirée en me couchant hier soir.

— Ouais, moi aussi. Pis ça pourra pas fonctionner.

— Euh… comment ça ?

— Parce que t'as jamais rien vécu et ça me gosse de tout montrer.

— T'es sérieux, *là* ?

— Ouais, désolé…

Quelques clics et une dizaine de mots avaient suffi pour me mettre au plancher.

Au cours des jours qui ont suivi, mon imagination s'est vengée en confectionnant une poupée vaudou à son effigie, en jouant aux fléchettes avec sa face, en écrivant un message haineux sur son mur Facebook et des commentaires teintés de mauvaise foi sous chacune de ses photos.

En de pareilles circonstances, j'appréciais sincèrement l'idée de travailler pour m'étourdir avec mon baratin : année et contexte de fondation de la Bourse de Montréal, vulgarisation des crises économiques du XXe siècle, transfert des principales activités boursières de Montréal à Toronto, tentative d'explication de ce que sont les produits dérivés dans le monde de la finance, etc. Étonnamment, j'arrivais à me souvenir de la quantité faramineuse d'informations que mon patron voulait me voir transmettre aux visiteurs. « Les gens ne s'intéressent pas suffisamment à l'économie, m'avait-il un jour expliqué. Comprendre l'histoire de l'économie, c'est comprendre l'histoire du monde. Tu ne réalises pas à quel point ton travail est important. »

Mon boulot était probablement plus pertinent que je le croyais, mais il m'ennuyait pour mourir : deux étages à parcourir, une soixantaine de dates à retenir, beaucoup trop de vieux et d'adolescents à divertir. Même l'heure du lunch avait trouvé le moyen de me déprimer. Assis au fond de la cafétéria, des écouteurs sur les oreilles et un livre dans les mains, je refusais de me mêler aux autres employés. Les rares fois où je mettais ma musique sur pause, je captais les conversations des *workaholics* qui discutaient boulot, des téléphiles qui revenaient sur la plus récente émission de *Tout le monde en parle* et des *foodies* qui partageaient des recettes.

Ta courge spaghetti gratinée au bleu, tes choux de Bruxelles saupoudrés d'une épice moyen-orientale obscure, la couleur New Age

de ton ketchup maison et l'ail rôti que tu ajoutes à ton bœuf bour-
guignon chaque vendredi, tu peux pas savoir comme je m'en fous!

Malgré tout ce que je reprochais à ma situation, j'étais ravi de travailler seulement vingt-cinq heures semaine, de quitter le bureau en milieu d'après-midi, d'éviter l'heure de pointe, les hommes en veston-cravate transpirants, les parfums affreusement mélangés et les sacs à dos indélicats. Je n'allais probablement pas endurer longtemps un emploi où je comptais les minutes, mais je n'étais pas encore prêt à démissionner.

:: ::

Au cours du mois précédent, Clara et moi étions devenus de fidèles alliés contre la solitude. Afin de ne pas mourir noyés sous une vague d'isolement affectif, nous avions élaboré un concept du tonnerre: chaque lundi, nous organisions des soirées en l'honneur de Jude Law, emmitouflés dans une douillette et réconfortés par de la crème glacée.

1ʳᵉ semaine: *The Talented Mr. Ripley* (scène de bain totalement ambiguë avec Matt Damon) + *Enemy at the Gates* (sexe torride avec Rachel Weisz, entourés de soldats endormis).

2ᵉ semaine: Nicole Kidman qui rêve à ses retrouvailles (un peu trop chastes) avec Jude dans *Cold Mountain* + gigolo Jude dans *A.I. Artificial Intelligence* (bonjour les fantasmes!).

3ᵉ semaine: Jude Law au sommet de son capital de séduction dans *Alfie* (miam) + cent vingt minutes de sensualité et de non-dits dans *Closer* (on aime).

4ᵉ semaine: Londres, Juliette Binoche et adultère dans *Breaking and Entering* (étrange et beau à la fois) + *The Holiday*, un film permettant de profiter de la petite face de Jude Law, de l'accent *british* de Jude Law et de toute autre chose se terminant avec «de Jude Law».

Lorsque notre hommage au charme et au chic s'est terminé, Clara m'a regardé avec un air repentant.

— Émile, j'ai quelque chose à te dire...

— Tu déménages en Angleterre pour devenir la *nanny* des enfants de sexy Jude ?

— Ben non, niaiseux... Mais on va être obligés d'espacer nos soirées. J'ai rencontré quelqu'un et je veux vraiment mettre toutes les chances de mon côté. Je pourrai plus te réserver tous mes lundis soir...

— J'ai le droit de te bouder combien de temps pour ça ?

— Une heure, maximum, sinon je vais me sentir mal !

— C'est correct. De toute façon, c'était écrit dans le ciel que tu rencontrerais quelqu'un avant moi.

— On sait jamais, peut-être que mon homme a un petit frère gai à qui je pourrais te présenter.

— Bof, je compte pas trop là-dessus.

::

Le mois de mai nous avait quittés depuis deux semaines lorsque Clara s'est décidée à me donner quelques détails sur celui qui l'avait charmée: un policier montréalais, originaire des îles de la Madeleine, qu'elle avait rencontré à l'époque de ses soirées déjantées.

Quelques semaines auparavant, mon amie s'était fait arrêter après avoir refusé de vider une bouteille d'alcool qu'elle buvait illégalement dans la rue. Grâce à ses nombreuses astuces de séductrice, elle avait remplacé d'éventuelles accusations par un numéro de téléphone. Leur premier verre s'était transformé en premier souper et leur premier souper s'était terminé par un baiser. Décidément, Clara avait le meilleur karma amoureux de l'humanité. Elle était tombée sur un homme capable de prendre soin d'elle, sans la mettre sur un piédestal comme tous les autres.

Même si son histoire avait tout pour me remplir de joie, un début de jalousie se dessinait derrière mon sourire.

Poussé par l'urgence de rencontrer quelqu'un, j'ai décidé de retourner plus souvent sur ToietMoi.com. Si je n'avais fait qu'y tremper le petit orteil en passant des heures à jaser depuis mon inscription, j'étais maintenant convaincu que j'allais devoir passer à l'étape suivante. En très peu de temps, j'ai suggéré à une de mes cyberrencontres de quitter le monde virtuel au profit de la réalité. Sa photo ne me permettait pas de le décrire comme une grande beauté, mais il m'apparaissait assez sympathique pour un rendez-vous. Lorsque je l'ai vu arriver au métro Berri, ma première impression s'est confirmée : moyennement grand, moyennement beau, moyennement intéressant, bref, moyennement pas pour moi. Malgré tout, j'ai accepté d'aller marcher avec Moyennement-Roux dans le Vieux-Port.

Je suis trop bon, je sais...

J'essayais de me consoler en me disant que si sa discussion était aussi peu séduisante que son visage, je n'aurais qu'à plonger mes yeux dans le fleuve pour fuir jusqu'en Gaspésie.

— As-tu des frères et sœurs ?

— Tes parents sont encore ensemble ?

— Ils savent que t'es gai ?

— Comment ils ont réagi ?

— Tu vis seul ou t'as des colocs ?

Ses questions platement communes m'obligeaient à utiliser mon échappatoire toutes les cinq minutes. Plus il parlait, plus son cas empirait.

— J'avais pensé aller au Musée des beaux-arts. Il paraît que la nouvelle exposition est vraiment intéressante.

— Ouin... mais je suis pas un grand fan des musées.

— Comment ça ? T'as étudié en photo !

— Pis ?

— Ben, si t'aimes la photo, c'est clair que t'aimes les arts visuels.

— Ç'a rien à voir…

— Ben oui. La photo, la peinture, la sculpture, c'est la même chose.

— Pantoute ! J'ai jamais eu envie de faire de la peinture, encore moins de la sculpture…

— Peut-être que tu devrais essayer.

Et peut-être que tu devrais t'étouffer avec tes idées !

Pendant qu'il continuait à mettre en relief mon « manque d'ouverture », j'ai tenté d'imaginer ce qu'un inconnu pouvait penser de moi en se fiant uniquement à certaines informations de base.

INFORMATION DE BASE	INTERPRÉTATION POSSIBLE	RÉALITÉ PURE ET SIMPLE
Je m'appelle Émile.	Mes parents adhèrent à la mode des prénoms anciens.	Mon prénom est un hommage au poète Émile Nelligan.
Je viens de la Gaspésie.	J'ai un gros accent, je suis né dans une famille de pêcheurs et je sais comment survivre en nature.	J'ai un petit accent de rien du tout, mon père n'a jamais su pêcher et je vais probablement me coucher en petite boule si je me perds dans le bois.
Je travaille à la Bourse de Montréal.	J'ai un penchant prononcé pour le capitalisme.	Je me demande chaque jour ce que je fais là.
Je suis enfant unique.	Je suis gâté pourri.	Je suis solitaire, j'ai peu d'amis et je pense beaucoup aux autres.
J'ai quitté la maison familiale à dix-neuf ans.	J'ai des conflits avec ma famille et je fuis mes problèmes.	J'ai besoin de nouveauté, d'action et d'une vie sentimentale.
Je suis passionné de photo, mais pas de tous les arts visuels.	Je vais finir par comprendre un jour.	Je rêve de rentrer chez moi le plus vite possible (peut-être que je fuis mes problèmes finalement…).

— Bon… Je pense que je vais rentrer, moi. Tu iras au musée sans moi. Pis sens-toi pas obligé de m'écrire pour me dire ce que j'ai manqué.

Loin de moi l'idée d'être fermé à toute forme d'argumentation, mais je ne comprenais tout simplement pas comment il avait pu se permettre de me juger ainsi. Les règles non écrites du *dating* ne stipulaient-elles pas qu'une première rencontre servait uniquement à discuter, observer et alimenter les discussions du lendemain avec nos amis?

::

18 h 22 — 8 juin 2010

> **À:** **Clara Dagenais** (la.dolce.clara@hotmail.com);
> **Lilie Jutras** (lilli.guliver@yahoo.ca)
> **De:** Émile Leclair (mile_et_une_nuit@hotmail.com)
> **Objet:** La première impression

Bonsoir mesdemoiselles,
Question à un million de dollars. Selon vous, c'est quoi la première impression que les gens ont de moi?
Émile

18 h 36 — 8 juin 2010

> **À:** **Émile Leclair** (mile_et_une_nuit@hotmail.com)
> **De:** Lilie Jutras (lilli.guliver@yahoo.ca)
> **Objet:** Re: La première impression

Salut Mile,
Je ne me souviens plus de la première fois qu'on s'est vus, mais je me rappelle que j'ai toujours été impressionnée par ce qui se passait dans ta tête, ton monde imaginaire et tes réflexions. C'est sûr que t'es impatient comme 1000, tête de cochon et que tu oublies toujours ma fête, mais ça vaut quand même la peine de t'avoir comme ami. Tu gagnes à être connu, comme dirait ma mère.
Lilie

00 : 57 — 9 juin 2010

> **À :** **Émile Leclair** (mile_et_une_nuit@hotmail.com)
> **De :** Clara Dagenais (la.dolce.clara@hotmail.com)
> **Objet :** Re : La première impression

Allô petit loup,

La première fois que je t'ai vu, c'était dans la classe de madame Laliberté en première secondaire. À un moment donné, tu lui posais tellement de questions qu'elle t'avait conseillé de prendre du Ritalin pour te concentrer quand elle parlait. Tout le monde était parti à rire… Toi, tu restais là sans bouger, le visage tout blanc, incapable de répondre quoi que ce soit. Cette journée-là, je me suis dit que j'allais t'apprendre à ne pas te laisser faire. Je pense que grâce à moi, tu sais à peu près quoi répondre la moitié du temps. C'est quand même un beau progrès. À part ça, j'ai toujours dit que t'étais le gars le plus sensible et le plus spécial de mon entourage. J'aurai jamais assez de toute une vie pour te comprendre. Et c'est tant mieux.

Clara

xxx

CHAPITRE 6

Selon mes plus récentes observations, les rapports humains n'étaient pas ce que mes collègues maîtrisaient avec le plus de facilité : sourires forcés, regards détournés, passion soudaine pour le relief inexistant du plancher. Toutes les raisons étaient bonnes pour éviter de se parler. Parmi les *nerds* en économie, les *whiz kids* en informatique et les vieux loups de la finance qui m'entouraient, rares étaient ceux qui voulaient socialiser. Moi le premier.

Alléguant que mon refus de connaître mes compagnons de travail détruisait la crédibilité de mes analyses, Marcelle m'a convaincu de l'accompagner à la cafétéria pour manger avec Bryan, le consultant en je-n'ai-jamais-trop-compris-quoi, Julie, la conseillère en ressources humaines, et Alyana, l'avocate spécialisée en produits dérivés. J'étais assis avec eux depuis cinq minutes lorsque les questions se sont mises à fuser : lieu d'origine, profession des parents, raison de mon déménagement, parcours scolaire, appréciation générale de la Bourse jusqu'à maintenant. La question la plus drôle est sortie de la bouche de Bryan :

— *Did you have a girlfriend* avant de déménager à *Montreal ?*
Euh, il me niaise...

— Non, j'étais célibataire... et je le suis encore.

Les yeux de Marcelle et d'Alyana se sont illuminés en entendant ma réponse.

— *Be prepared*. Elles vont vouloir tout savoir sur ton genre de fille pour te trouver quelqu'un.

— Vous me faites marcher ou quoi?

— Mais non, on fait ça pour rire, dit Marcelle, on veut pas te choquer.

— Je suis pas choqué. C'est juste que… vous cherchez vraiment pas dans la bonne direction.

— *What do you mean?*

— Ben que… je… préfère les garçons.

Marcelle et Alyana ont eu le réflexe de cacher leur surprise en se mettant la main sur la bouche, Bryan avait les yeux grands ouverts et Julie me regardait avec un petit air de déception.

— Ça vous dérange?

— Pas du tout, me rassura Alyana. On n'était seulement pas préparés à ça. On se disait que t'avais ton petit côté artiste, mais on n'aurait jamais pensé que tu puisses être gai.

Après m'avoir fait comprendre que je n'étais pas un homosexuel très extravagant, Julie m'a expliqué qu'Alyana avait déjà fait le tour de ses amies pour me trouver une copine. De son côté, Marcelle ne semblait pas découragée par le revirement de situation.

— Alors, si on peut se permettre, c'est quoi ton genre d'hommes?

— Ah! Ça, c'est secret.

— Agace!

— *Come on, man*, elles vont pas te lâcher.

— La prochaine fois!

Un quart d'heure plus tard, je me suis retrouvé seul avec Marcelle à la réception.

— Est-ce que je peux te confier un petit secret de rien du tout?

— Vas-y, je t'écoute.

— Tantôt, quand tu m'as demandé c'était quoi mon genre d'homme, j'ai réalisé que je le savais pas. Pis je trouve ça bizarre.

— C'est pas très grave, coco. T'as toute la vie pour découvrir ce que tu veux…

— Mais j'aimerais ça pouvoir définir le genre de gars qui me plaît vraiment.

— Alors, note sur un bout de papier tout ce que t'aimerais retrouver chez un homme : son physique, sa personnalité, ce que tu serais incapable d'accepter, etc. Imagine à quoi pourrait ressembler votre couple. Écris tout sans te retenir. Tu vas voir, ça va t'aider.

Pourquoi pas? Ce serait quand même moins dérangeant que de comparer mon homme idéal aux restes d'un complexe d'Œdipe inversé...

Physiquement

Si on m'avait posé la question à quinze ans, j'aurais probablement répondu un cliché du genre «blondinet à la gueule d'ange, typiquement américain, version Brad Pitt». Aujourd'hui, je dirais plutôt un homme qui a l'air d'un homme : ni trop musclé, ni trop gros, ni trop maigre. Grand. Avec de la prestance. Des cheveux longs, si possible. Et surtout : de beaux yeux. Oh, et propre aussi !

Mentalement

Vrai. Unique. Passionné. Cultivé. Honnête. Intéressant et intéressé. Capable de discuter pendant des heures et d'apprécier le silence. Respectueux. Optimiste. Un peu fou. Rêveur. Pas blasé par la vie, ni désabusé par l'amour. Qui préfère le proverbe «qui se ressemble s'assemble» à celui qui veut que «les contraires s'attirent».

Les non négociables

- Doit vivre à moins de quarante kilomètres de chez moi.
- Ne consomme pas de drogue.
- Est célibataire.
- N'est pas un *party animal* ou un dépendant aux histoires d'un soir.

Au quotidien
Un indépendant dépendant, heureux à l'idée de respirer sans moi, mais qui aimerait quand même ça que je sois avec lui.

::

Après dix-neuf ans à profiter de la brise de la mer pour survivre à la chaleur, j'affrontais pour la première fois l'humidité du mois de juillet à Montréal. Les rares moments où je ne remerciais pas le ciel d'avoir trouvé un emploi dans un bureau climatisé, je faisais de mon boxer le seul tissu capable de supporter ma peau moite.

Quelques minutes avant mon départ pour mon havre de fraîcheur, un visiteur impromptu a ralenti ma routine matinale. Mon voisin, un *geek* portant un pantalon usé, un t-shirt de Pac-Man délavé, pas de lunettes, mais une face à lunettes quand même, se tenait devant moi.

— Salut, moi c'est Stéphane.

— Émile, dis-je en tendant la main.

— C'est bizarre, ça fait trois mois que t'es dans l'immeuble, et on n'est jamais venus te voir…

— Ça va. De toute façon, je suis souvent dans ma bulle…

— Je te dérangerai pas trop longtemps. Je voulais juste t'avertir qu'on va faire une fête pour l'anniversaire de ma blonde en fin de semaine. On devrait être une petite gang. Tu viendras si tu veux.

— C'est gentil de m'inviter, mais je serai pas là. Je retourne en Gaspésie jusqu'à la fin du mois. Vous allez pouvoir faire autant de bruit que vous voulez.

— Cool! On se reprendra alors.

— Ouais, pourquoi pas? J'irai vous voir.

Don't call us, we'll call you.

Avec la chaleur qui ébranlait ma bonne humeur et les discussions exaspérantes du site de rencontres, le temps était venu pour moi de quitter la métropole et d'enterrer mon cerveau sous une roche en Gaspésie. Ce long séjour en territoire familial signifiait également que j'allais revoir ma mère pour la première fois depuis sa lettre. Nos échanges téléphoniques s'étaient poursuivis comme si de rien n'était, mais je redoutais le retour à la réalité.

Une dizaine de jours avant mon arrivée, la *mamma* avait voulu racheter ses maladresses de Cupidon en me remettant le courriel d'un «homme qui ne pouvait qu'être mon genre». Quand elle avait appris que le nouveau policier de Matane jouait dans la même équipe que son fils, elle était allée le voir avec une photo de moi.

— Au début, il me regardait comme si j'étais un peu folle, mais en te voyant, il a changé d'avis. Je me suis dit que tu serais peut-être aussi chanceux que Clara avec son policier.

Le lendemain de cette autre opération de *matchage*, le policier et moi avons entamé une correspondance. D'apparence fort charmante (du moins, sur photos), âgé de 24 ans, The Police Man terminait un certificat en psychologie à temps partiel, en plus de travailler pour la Sûreté du Québec dans ma région. Après deux-trois courriels brefs et riches en banalités, de longs messages de dix pages ont pris le relais dans nos boîtes de réception. Nous échangions sur à peu près tout : le cinéma, la musique, la lecture, nos personnalités, nos familles et nos aspirations. J'anticipais notre rencontre au point de compter les heures qui me séparaient de mon retour en Gaspésie. Puisque je savais comment je réagissais avant un premier rendez-vous, j'avais prévu qu'après une demi-journée à m'épuiser l'appréhension sur un siège d'autobus, j'allais manquer d'énergie pour m'imaginer n'importe quoi rendu là-bas.

Impeccable logique, garçon.

Quand j'ai vu que le policier m'attendait dans un coin du terminus d'autobus, mes premières impressions sont venues confirmer l'image que je m'étais faite de lui : mignon et masculin, le regard doux et séducteur, le sourire discret et sincère, un corps élancé et entraîné. Après de brèves salutations, nous sommes allés nous asseoir à une table de pique-nique, le long du fleuve qui m'avait tant manqué, sans que je m'inquiète des réactions des habitants de ma petite ville de région.

Il y a six mois, t'aurais fait du reflux gastrique rien qu'à te demander ce qu'ils en auraient pensé...

Notre attitude n'avait rien de «forcé» ou de «calculé». Nos conversations passaient d'un sujet à l'autre sans prendre de pause. Son air timide me charmait complètement, même si je n'arrivais pas à décoder ce qui se tramait en lui.

— T'es un drôle de moineau, Émile Leclair. T'essaies de tout savoir sur moi, mais tu parles presque pas de toi. Chaque fois que je te pose une question, tu réponds à moitié et tu t'arranges pour détourner la conversation en pensant que ça paraît pas.

Essaye de cacher que t'es gêné, maintenant...

— Heureusement que je suis assez observateur pour percer ta carapace...

— Et tes observations t'ont révélé quoi jusqu'à maintenant?

— Que t'as besoin d'être conquis avant de t'ouvrir à quelqu'un, que tu t'ennuies rapidement si t'es pas stimulé et que t'as besoin de te sentir convoité. Et différent. Ton visage s'illumine chaque fois que tu souris et t'as pas l'air très bon pour cacher ce que tu penses. En plus, tu marches d'un pas décidé, avec le corps droit et légèrement penché vers l'avant, comme si t'avais besoin de prouver ta valeur. Quand tu me regardes avec les yeux plissés, j'ai l'impression de passer au polygraphe.

Je me sentais complètement nu.

— Faudra que tu me donnes tes trucs pour arriver à déchiffrer les gens comme ça...

— Il suffit de savoir écouter et regarder. C'est tout ce que ça prend quand le sujet est intéressant...

Mes joues venaient de s'empourprer d'un coup.

— T'es tellement charmeur !

— Et on sait tous les deux que t'adores ça !

J'étais séduit et terrorisé. Trois heures s'étaient écoulées depuis mon arrivée et je m'affolais déjà à l'idée de ne pas savoir comment le quitter. Avec un calme troublant, mon beau policier a fourni la réponse à mes questions en me tendant la main.

— On se rappelle.

Après cette rencontre avec The Police Man, je me suis dirigé vers la maison d'un pas léger. Je déambulais sur une route mille fois empruntée, mon appareil photo dans une main, mon iPod dans l'autre. Je planais sur les rythmes aériens d'Alexandre Désilets et de Patrick Watson en vérifiant si les lieux avaient changé. Peu à peu, mon énergie se déposait. Je marchais plus calmement. Je respirais mieux.

Devant la maison où j'avais passé la majeure partie de ma vie, j'ai photographié la mer, qui la regardait vivre. Le soleil avait disparu depuis quelques heures lorsque mes pieds ont fait craquer la galerie. Les lumières de la cour arrière éclairaient faiblement le couloir. La *mamma* m'attendait. « Je vais arriver en fin de journée, lui avais-je annoncé la veille. Après ma *date* avec tu-sais-qui… »

Je marchais à reculons. L'escalier à ma droite me proposait un refuge sous les couvertures. Le salon à ma gauche me suggérait une valse avec les souvenirs : un violon qui traînait depuis la fin de ma carrière-jamais-vraiment-entamée de violoniste paresseux, un châle crocheté par ma grand-mère qu'on laissait depuis toujours sur le canapé (le châle, pas la grand-mère) et une bibliothèque pleine de romans, de livres de voyage et de bibelots. Face à moi, un couloir et sa mosaïque de photographies : grandes, petites, en noir et blanc, en couleurs, en trio, en duo ou en solo. Une trentaine d'images s'unissaient pour me retenir d'avancer.

— Émile.

— *Mamma.*

La glace était cassée. Ma mère me dévisageait calmement.

— Je savais que tu prendrais ton temps avant de rentrer, trésor. C'est correct.

Je me suis dirigé vers le canapé pour m'allonger à ses côtés, la tête sur ses cuisses et sa main dans mes cheveux. C'était réglé. Rien n'avait été dit, mais le fil qui nous unissait venait d'être renoué.

Emmitouflé sous les draps, j'entendais des bruits étranges depuis une bonne demi-heure. En suivant le vacarme jusqu'à la cuisine, j'ai fait un face-à-face avec le mot «SURPRISE!» écrit en lettres brillantes et multicolores sur une banderole. Lilie s'est mise à crier en me voyant arriver.

— Émiiiiiile! Bonne fête!

— Merci! Mais c'est seulement dans deux jours, t'as oublié?

— Euh... c'est parce qu'on s'en fout. Je t'ai pas vu depuis trois mois... C'est pas des petites conventions d'anniversaire qui vont m'empêcher de crier «Bonne fête» à mon Mile chéri!

— T'es tellement *cute*... dis-je en la prenant dans mes bras.

— Allez, viens voir tes cadeaux, grand paresseux. Ça fait des heures que je te prépare le mien.

Sur la table, le plus gros déjeuner jamais servi entre les murs de cette maison m'attendait: des crêpes épaisses et dégoulinantes de chocolat, des rôties accompagnées de confitures maison, des œufs brouillés, du jus d'orange fraîchement pressé, des pommes de terre aux fines herbes et un assortiment de bonbons de toutes les couleurs. L'extase gustative.

— Quoi? lança Lilie en voyant mon air surpris. Tu pensais quand même pas qu'on allait célébrer ta fête comme des pauvres, juste parce que tu joues les indépendants?

— T'as pris combien de cafés ce matin, toi?

— Des cafés? Hum, je sais pas... Je dirais trois, peut-être. Ah non! Ça, c'était hier, quand j'essayais de passer le temps avant que t'arrives. Aujourd'hui, je pense que je suis rendue à quatre.

— Il est même pas midi…

— Tu devrais te sentir responsable de ma surconsommation de caféine et des prochaines maladies mortelles que je vais développer à cause de ça. Me faire attendre de même, c'est inhumain !

— Eille, je te connais, Lilie Jutras ! Tout ce que tu veux, c'est ramener ma soirée d'hier dans la conversation pour que je te raconte ce qui s'est passé.

— T'es tellement de mauvaise foi, Émile ! s'exclama-t-elle en se ruant sur moi pour me jeter par terre. Allez, répète après moi : « Pardon Lilie d'amour pour les vilaines intentions que je t'ai prêtées, pardon pour la crise cardiaque que tu as frôlée en m'attendant toute la journée, pardon d'être aussi *cute* et drôle et charmant, mais de plus en plus gai. » Répète, mon petit maudit !

À ce moment précis, ma sauveuse de mère a fait son entrée en riant.

— Lilie, laisse-le tranquille… C'est l'heure de le faire mourir de honte en lui chantant *Bonne fête*.

Une trentaine de fausses notes et un « merci » à peine sincère plus tard, nous avons rempli nos trois estomacs avec une quantité indécente de nourriture et de mimosas. Les questions se multipliaient sur ma vie montréalaise, mon emploi lamentable, les couleurs délirantes de mon appartement, mes rencontres désastreuses et, bien sûr, le merveilleux policier qui occupait mes pensées depuis quelques jours.

— Vous allez vous revoir bientôt ?

— Je sais pas… On n'a pas pris le temps d'en parler. Il partait aujourd'hui pour une semaine de vacances.

Le regard ratoureux, la *mamma* s'est immiscée dans la discussion.

— Ça tombe bien, parce que t'as quelque chose de prévu ce soir. J'ai oublié de te dire qu'on allait souper chez mes parents pour ton anniversaire.

— T'es pas sérieuse…

— Lilie est invitée, elle aussi.

D'aussi loin que je me souvienne, toutes les raisons étaient bonnes pour éviter à mon amie de passer du temps avec les siens. Les Jutras avaient tout de la famille conventionnelle et supposément fonctionnelle : aucun enfant homosexuel, aucun père mort noyé, seulement une maman, un papa, une Lilie et deux frères qui formaient l'amalgame familial le moins réussi de l'histoire de l'humanité. Les Jutras n'avaient aucun problème ouvertement connu : pas de père alcoolique, de mère castratrice ou de fils manqué. Pourtant, leur complicité était inexistante. À défaut d'exiger de sa famille ce qu'elle était incapable de lui donner, Lilie avait préféré trouver sa place dans une maison qui avait tout pour la satisfaire : un meilleur ami, une *mamma* qui lui offrait son amour inconditionnel et un papa qui avait toujours été convaincu que Lilie avait plus de Leclair dans le nez qu'elle n'aurait jamais de Jutras. Chaque jour n'avait de sens que lorsqu'elle mettait les pieds chez nous. Ou chez mes grands-parents.

— Allez, ça va être drôle, suggéra Lilie pour m'encourager. Tes grands-parents t'adorent.

Digne descendant de Maurice et de Jaqueline Cournouailler, j'étais tombé sur des grands-parents tout ce qu'il y a de plus modernes. Un petit-fils homosexuel ? Aucun problème ! Mon grand-père avait réagi avec détachement lorsque ma mère lui avait annoncé mes préférences : « Y a rien là, ma fille. Un Cournouailler, ça reste un Cournouailler. Qu'il fasse tourner la tête des petits gars ou des petites filles, c'est pas ça l'important. Pourvu qu'il soit aussi beau pis fin que moi, ça me dérange pas… »

Le problème avec mes grands-parents était plutôt d'ordre patrimonial. Fidèle à ses habitudes, ma grand-mère avait tenté le coup de la nostalgie, la veille de mon déménagement.

— Mon beau Émile, ton grand-père me racontait encore à matin la fois où vous êtes allés travailler dans la grange l'été dernier. C'est pas disable comme ça l'a rendu fier de te montrer ce qu'il sait faire.

Chaque fois qu'elle faisait référence à ma participation dans la ferme familiale, j'imaginais à regret leur déception quand ils réaliseraient que leur héritage n'avait aucune chance de survie entre les mains de leur seul descendant.

— J'ai entendu dire l'autre jour qu'il y avait des sites de rencontres pour fermiers homosexuels. Ça pourrait peut-être t'aider… Quand tu vas revenir t'installer ici avec un petit chum, on vous fera de la place, et vous pourrez gérer la ferme comme vous voulez.

Malgré le piètre avenir que je réservais à leur succession, je savais que mes grands-parents m'aimaient d'un amour inconditionnel. « Jacqueline, notre Émile va être quelqu'un de spécial, je le sens », disait Maurice depuis ma naissance.

S'ils m'écoutaient autant qu'ils m'adoraient, nous aurions la plus belle des relations.

Nous étions désormais réunis autour de la table garnie des plats que ma grand-mère avait préparés pour mon anniversaire.

— Émile, je trouve que t'as pas beaucoup mangé… T'aimes pus ma lasagne ?

— Mais non, c'est juste qu'on a bouffé toute la journée avant de venir ici.

— Bon, parle-moi de ça ! Ta mère pis ta petite blonde qui se mettent ensemble pour t'empêcher de maigrir. Tsé, c'est pas beau les grands maigres. Les petits gars de Montréal vont pas aimer ça.

Rien n'empêchait Jacqueline de surnommer Lilie « ma petite blonde » et de me donner des conseils sur les hommes dans la même minute. Mon amie en a d'ailleurs profité pour ajouter son grain de sel.

— Si je peux pas marier votre petit-fils, madame Cournouailler, je vais m'arranger pour qu'il soit présentable, inquiétez-vous pas.

— Une belle petite femme comme toi, ma Lilie, ça devrait pas rester accrochée comme ça à mon Émile, ajouta Maurice en me faisant un clin d'œil. Il faut que tu te fasses une raison : t'as eu la chance de séduire le plus beau gars de la région pendant dix-neuf ans et tu l'as laissé partir. Il faut que tu penses à toi maintenant.

— Vieux snoreau, vous le savez que je suis en couple.

— Avec le petit Leblanc, oui, oui, je sais. Je vous vois de temps en temps sur la grève. Chaque fois, j'ai juste le goût de sortir lui montrer comment faire avec les femmes… Il a tellement pas le tour.

Lilie ne savait visiblement pas comment réagir au commentaire de mon grand-père.

— Je suggère que les jeunes aillent faire la vaisselle et qu'ils nous rapportent de la tarte, trancha la *mamma*, question de mettre fin à la conversation.

— Ben là, non, c'est mon anniversaire !

— Émile, je viens de vous donner une belle excuse pour aller discuter pendant une demi-heure sans choquer personne. Un peu de savon à vaisselle, ça va pas te tuer.

Après avoir débarrassé la table, Lilie et moi faisions le tour de nos dernières histoires en lavant la montagne de vaisselle qu'avait utilisée ma grand-mère. Mon amie restait discrète sur ce qui lui arrivait, mais j'ai cru comprendre que sa relation avec Jean-François allait bien, qu'il embrassait bien, que sa belle-famille l'aimait bien et que sa vie en général se déroulait pas mal bien.

Comme si on était né pour se contenter d'aller bien…

Depuis la fin de son DEC en sciences humaines, Lilie travaillait (s'ennuyait) dans un bureau. Elle n'avait jamais pris la peine de voyager, de chercher un nouvel emploi ou d'aller à l'université. Mon amie était sur le neutre depuis trop longtemps.

::

The Police Man avait prévu six jours de vacances sans téléphone ni Internet. Il était donc tout à fait normal que je sois sans nouvelles de lui. Malheureusement pour ma santé mentale, j'avais beaucoup trop de temps à ma disposition pour penser à notre prochaine rencontre. «Il faut que tu apprennes à éduquer ton cerveau, m'avait dit la *mamma*. Chaque fois que tu te perds dans ta tête, tu dois court-circuiter tes pensées et les diriger vers autre chose.»

Facile à dire.

Les rares fois où je réussissais à freiner mes rêvasseries, ma tête se noyait dans une mare de nostalgie. Tout ce à quoi je pensais était associé à des souvenirs bien précis: le petit fossé de chaque côté de l'allée dans lequel j'imaginais notre voiture tomber quand nous roulions la nuit, les trois tabourets devant le comptoir de cuisine où mon père et moi préférions manger au lieu de nous installer à la grande table, les murs de la salle de bain, repeints l'an dernier, qui portaient encore la démarcation du papier peint qu'il avait installé deux ans avant sa mort, le thermostat électrique que j'avais brisé en jouant au soccer dans la maison, trois jours après qu'il l'eut programmé. De toute évidence, la majorité de mes souvenirs étaient liés à mon père. Même si j'avais eu quatre ans pour m'habituer à sa mort, mon séjour à la maison familiale après la coupure de mon déménagement rendait son absence encore plus marquante.

Les jours passaient, et j'étais toujours sans nouvelles du policier. Question de me changer les idées, je m'étais imaginé une série d'excuses improbables et bidon.

- Accident en forêt: il gisait depuis trois jours dans un ravin, à demi conscient, tout juste capable de marmonner mon nom.
- Mutation surprise de la Sûreté du Québec: il travaillait désormais à Matagami et préférait ne plus entendre parler de moi ou de la Gaspésie.
- Alzheimer précoce: il avait oublié à quel point il espérait me revoir…

À un moment donné, mon instinct de survie s'est enclenché: j'ai suis allé au cinéma avec Lilie pour visionner un film que j'avais vu six semaines plus tôt à Montréal, je me suis donné la mission de mettre en ordre alphabétique les livres de la bibliothèque en sachant très bien que ma mère allait tout déplacer après mon départ et j'ai accepté de photographier les enfants de la voisine, de véritables pestes. Mes trois semaines en Gaspésie ont ainsi défilé jusqu'à ma dernière soirée avec la *mamma*.

— En tout cas, on peut pas dire que mes conseils amoureux aient été très utiles…

— Bah, c'est pas de ta faute. Un handicapé mal élevé et un beau parleur, c'était difficile à prévoir…

— Tu m'en veux pas trop ?

Le sous-texte de cette courte phrase avait des allures de : « J'y suis peut-être allée un peu fort dans ma lettre. Je pense encore chaque virgule que j'ai écrite, mais j'aurais pu être plus délicate. Es-tu encore choqué ? »

— Inquiète-toi pas pour ça, c'est oublié…

— Oublié ?

— *Mamma*…

— Émile…

— T'avais raison dans ta lettre.

— À propos de quoi ?

— Quand tu disais que je m'isole de plus en plus et que c'est normal que je m'éloigne. C'est juste que… Ça avait l'air quasiment libérateur pour toi d'écrire que notre relation était en train de changer.

— Émile, si je t'avais empêché de déménager, tu m'en aurais voulu toute ta vie.

— Mais c'est pas parce que je reste à Montréal que notre relation doit changer.

— Trésor, t'as besoin d'être dans ta bulle, tu l'as dit toi-même.

— Et toi là-dedans ?

— J'essaie de m'habituer à l'idée de te voir changer à distance. Je m'adapte comme je peux. Ç'a l'air que personne a écrit de livre sur l'art de se séparer de son fils en dix étapes faciles.

— Tu devrais peut-être l'écrire, toi.

— Et on pourrait l'illustrer avec tes photos ?

— Pis on en vendrait des millions !

— En attendant, va donc faire tes bagages... Ton autobus part dans une heure.

Environ huit heures d'autobus plus tard, j'ai retrouvé les murs de mon appartement en me promettant presque sérieusement de vider mes bagages dans les trente jours. À défaut de m'écouter en allant faire une sieste, je me suis installé devant mon ordinateur. J'ai compris, devant mes courriels, que le destin venait de me faire une jambette. The Police Man m'avait écrit.

00 h 10 dimanche 25 juillet 2010

À : Émile Leclair (mile_et_une_nuit@hotmail.com)
De : Antoine Cousineau (a.cou@hotmail.com)
Objet : Si j'avais pu

Salut Émile,

Désolé de ne pas t'avoir donné de nouvelles avant. J'ai vraiment apprécié te rencontrer, après de nombreuses heures à me demander à quoi tu ressemblais. Je n'ai pas été déçu une seule seconde. Je t'ai trouvé super intelligent, sociable, sympathique, sensible aux autres, avec un grand sens de l'humour, et beau bonhomme en plus ! J'ai eu beaucoup de plaisir en ta compagnie et je n'ai pas vu le temps passer. Je t'aurais gardé pour moi toute la journée si j'avais pu !

Comme je te l'avais dit, j'avais prévu quelques activités au cours de mes vacances, dont celle de revoir mon ex. Chaque fois que je crois passer à autre chose, ma relation avec lui semble me rattraper. Je lui avais parlé de nous deux, du fait que tu semblais fort sympathique et que j'allais te rencontrer avant d'aller le voir. Après mon séjour dans Charlevoix, je suis allé veiller avec lui à Québec. Son chum n'était pas avec lui, et ce qui devait arriver arriva. Après une soirée bien arrosée (pas pour moi, car je ne bois pas) au Dagobert, nous nous sommes séparés de nos amis pour nous retrouver dans la même chambre... Je t'épargne le reste.

C'est plus fort que moi ! Je l'aime encore, même si je veux l'oublier. Je me contente de la moindre parcelle d'attention qu'il veut bien m'accorder. J'ai honte. Je me trouve con, stupide, innocent et surtout faible ! Je suis tellement enragé contre lui et, par le fait même, contre moi.

Le pire dans toute cette histoire, c'est qu'il n'est même pas amoureux de moi. Il me fait sentir comme si je n'étais pas assez bon, pas assez spécial, pas assez fort. Je ne sais pas qui je devrais être pour qu'il m'aime. J'essaie de passer à autre chose, j'en suis incapable. Du moins, pour l'instant.

J'aurais pu faire comme si de rien n'était et tenter l'expérience avec toi, mais je ne suis pas prêt. Je m'excuse de t'avoir fait perdre ton temps. J'étais mélangé dans ma tête et je devais tout éclaircir avant de t'en parler. J'espère que tu ne me détestes pas trop...

Je suis désolé pour tout.

A.

Les deux pieds plantés dans ma nouvelle décennie, le mot « impossible » était désormais le meilleur adjectif pour qualifier mon futur avec The Police Man.

CHAPITRE 7

Le minuscule réveille-matin offert par la *mamma* le jour de mon anniversaire prenait désormais des allures de mastodonte capable de réveiller tous les locataires de mon immeuble grâce au message que ma mère y avait enregistré : « Émile, réveille-toi. Allez mon grand, un peu de tonus ! »

La technologie semblait prendre le parti de ma ratoureuse de mère : l'odieuse machine m'a cassé les oreilles pendant dix minutes. Comme je n'avais pas la moindre chance de retrouver le sommeil après un tel affront, mon cerveau s'est chargé de convaincre mes yeux de rester ouverts pendant quelques heures. L'état des lieux me signalait à grand renfort de désordre que mon appartement venait d'être la victime d'une attaque style Pearl Harbor.

Probablement les bagages que j'éparpille depuis trois semaines...

Je me suis dressé sur mes coudes en attendant que se produise un petit miracle. Trois minutes plus tard, soit ma capacité d'attente maximale, la réalité est venue m'informer de ma déconfiture : contrairement à tous les fantasmes qui m'apparaissaient ô combien crédibles, Josh Hartnett et Ben Affleck ne viendraient pas jouer les héros en m'enveloppant de leurs corps vêtus d'une camisole blanche. Tristesse et désolation.

Mes six pieds deux pouces de corps mort se sont traînés jusqu'à la salle de bain, affrontant avec tristesse l'image que leur renvoyait mon miroir : un air blasé, le regard éteint, des pommettes qui n'avaient de saillant que le souvenir qu'elles avaient laissé dans ma mémoire. Tel était le visage de l'amour désabusé.

Pendant mes six derniers jours de vacances, j'ai passé le plus clair de mon temps à faire de la photo. J'étais fasciné par l'aspect inhospitalier du viaduc de la rue Moreau, dans Hochelaga, le bourdonnement des allées du marché Jean-Talon, la beauté historique du campus Loyola, dans Notre-Dame-de-Grâce, les parcs privés de Westmount, les glaces colorées du Palais des congrès, les rues pavées du Vieux-Montréal, les bassins de la Place des Arts et tant d'autres lieux croisés sur ma route. Quand je n'étais pas occupé à multiplier les prises de vue, j'allais me perdre entre les murs du cinéma Beaubien, accompagné de retraités et d'étudiants sans emploi d'été. J'essayais de reprendre vie en regardant celle des autres défiler sous mes yeux. Après mon quatrième film entouré d'étrangers, j'ai appelé Clara en jouant la carte de la pitié à son plein potentiel pour la convaincre de m'accompagner.

Le matin de notre rendez-vous, j'attendais devant le cinéma lorsque « Mademoiselle Clara » est apparue sur l'afficheur de mon cellulaire.

— Salut coco ! Désolée, mais ça fonctionnera pas pour moi ce matin.

— *Come on* Clara, t'es capable de laisser ton chum pendant deux heures.

— Émile, il a l'air plate, ton film…

— Mais j'ai pas envie d'y aller seul…

— Je pourrais t'accompagner si tu veux, me proposa un inconnu, qui se tenait à quelques pas.

— Qui a dit ça ? demanda Clara.

— Euh… le gars à côté de moi, sur le trottoir. OK, je te rappelle. Bye !

— Mais attends Émile ! Je veux tout sav…

L'inconnu — tout à fait charmant — me tendait sa main droite.

— Je m'appelle Charles.

— Moi, Émile...

— Si ça te tente, je pourrais peut-être t'accompagner une autre fois.

— Tu dirais quoi d'un café en premier? Ma mère m'a toujours dit de jamais aller au cinéma avec un étranger.

— Alors tu diras à ta mère que t'es attendu pour un café au coin de Beaubien et Louis-Hémon à dix-neuf heures, dans deux jours.

— C'est un rendez-vous, monsieur Charles.

— Lajoie, Charles Lajoie.

— On se voit dans deux jours, Charles Lajoie.

Un nom complet, voilà tout ce dont j'avais besoin pour faire une nouvelle enquête sur le Web. Si je me fiais aux informations récoltées après un quart d'heure de fouinage, Charles avait obtenu son diplôme d'études secondaires en 2004, ce qui lui donnait aujourd'hui vingt-trois ans. Selon ses registres scolaires, il avait gagné plusieurs prix Méritas en théâtre, en écriture et en musique. Il était présentement inscrit au baccalauréat en criminologie.

Un artiste qui veut devenir criminologue, drôle d'amalgame.

Peu importe, pour une fois que ça se présente bien.

:::

Puisque la vie est réputée pour sa grâce et sa gentillesse (insérez ici une montagne d'ironie), un rhume vicieux s'est pointé le bout du nez la veille de ma *date* avec Charles. La voix plus grave d'un demi-ton, les sinus en béton et les yeux injectés de sang, je m'étais transformé en repaire à microbes. Je suis allé à la rencontre de Charles dans un petit café. Attablé devant une tasse de thé avec du miel, je l'observais commander un cappuccino au comptoir: petit, très mince, un grand nez fin, des yeux en amande et des cheveux ébouriffés, il aurait pu être le petit frère de Pierre Lapointe. Tout le contraire de mon idéal physique.

— Tu ferais quoi s'il te restait seulement une semaine à vivre ? me demanda-t-il tout juste après s'être assis.

— Tu parles d'une question…

— Pourquoi ? T'es le genre de gars qui préfère les conversations banales ?

— Mais non !

L'œil amusé, Charles a pris la peine de m'expliquer qu'il détestait tout ce qui s'approchait de la norme. Son discours me rappelait la pièce de théâtre *Rhinocéros,* dans laquelle les personnages suivent un courant de pensée sans jamais se poser de questions, jusqu'au jour où la rhinocérite les transforme en bêtes, les uns après les autres…

— Un petit gars des régions qui s'intéresse au théâtre, c'est nouveau ça…

— Ben là, je suis pas le seul Gaspésien qui aime autre chose que le bois, la mer et les *jobs* de bras… Faut juste sortir de sa ville de béton pour le savoir.

— Et vlan dans mes dents ! fit Charles en éclatant de rire.

— Bon… pour répondre à ta question, s'il me restait une semaine à vivre, je ferais ce que j'aime le plus : passer mes soirées au bord la mer, dormir sans me demander à quelle heure me réveiller et sortir de mon lit seulement pour faire de la photo.

— Un vrai de vrai artiste.

— À moitié…

Heureusement pour moi, Charles a tout de suite compris que je n'avais pas envie d'aborder le sujet.

— Je pense qu'on serait dus pour bouger un peu. Mes parents m'ont laissé la voiture pour la soirée. On pourrait aller faire un tour, si tu veux.

— Ouais, ça pourrait être chouette.

Dans les heures qui ont suivi, Charles m'a fait découvrir plusieurs coins étonnamment charmants de la banlieue montréalaise. Après avoir traversé les rues de Laval sans trop regarder, nous avons fait un premier arrêt à l'île des Moulins, dans le Vieux-Terrebonne. Des sentiers bordés d'arbres gigantesques et illuminés entouraient un petit étang. La beauté des lieux me faisait presque oublier mon nez congestionné et ma voix enrouée.

— Enfin une ville de banlieue où j'ai pas l'impression d'étouffer! dis-je en inspirant bruyamment. D'habitude, je respire mal dès que je m'éloigne de Montréal. Je sais pas trop pourquoi...

— Tu dois avoir un attachement particulier au smog et à la pollution.

— Ça doit être ça. Je préfère m'encrasser les poumons plutôt que de passer ma vie dans une ville-dortoir.

Vu mon sacro-saint besoin d'être différent, l'idée de m'établir dans un quartier sans personnalité n'avait rien pour m'enchanter. Par esprit de rébellion, je serais du genre à choisir un revêtement extérieur vert fluo et à écoper d'une amende pour non-respect du paysage global. En quittant la ville où les gens sont de « Terrebonne humeur », j'ai eu l'idée de faire une recherche sur mon cell pour trouver les pires slogans municipaux au Québec:

- « À Mirabel, la vie est belle. » — Avec ses milliers d'hectares de terres agricoles détruites et son aéroport pratiquement abandonné, j'avoue que Mirabel est d'une insupportable beauté!
- « Amos, au centre de l'action » — Tout le monde connaît le *nightlife* légendaire de la troisième plus grosse ville... d'Abitibi!
- « De passage ou pour un séjour prolongé, Hérouxville vous accueille! » — Ma non-conformité et moi ne serons que de passage. Merci.
- « Granby, la capitale du bonheur. » — Granby, un zoo avec du monde qui vit autour...

— « Saint-Ludger-de-Milot : venir chez nous, c'est y prendre goût. »
— Ce n'est pas une ville inventée par Michel Marc Bouchard dans *Les Muses orphelines,* ça ?

Charles et moi sommes rentrés dans Rosemont—La Petite-Patrie (Ro-Pe-Pa pour les intimes) après avoir visité les splendeurs de Repentigny et de Saint-Léonard. Pendant qu'il m'expliquait comment réussir un stationnement en parallèle (comme si j'allais m'en souvenir un jour…) devant chez moi, j'ai tenté de décortiquer la soirée en y allant d'une analyse comparative. Je m'étais senti plus à l'aise après deux heures en sa compagnie que je ne l'avais été avec Valéry après deux rencontres. Ses préjugés sur les intérêts des Gaspésiens m'avaient fait rigoler, alors que les idées préconçues de Moyennement-Roux sur ma passion des arts visuels m'avaient choqué. Par contre, l'impression qu'il me laissait était à des années-lumière de ce que j'avais ressenti pour The Police Man. Peu importe. J'ai mis fin à notre rencontre avec une poignée de main représentant parfaitement le lien qui nous unissait : franc, direct, sympathique, mais légèrement distant.

Malgré ce je-ne-sais-quoi qui n'existait pas entre Charles et moi, j'ai eu envie de le revoir deux jours plus tard. Je lui ai suggéré d'assister à une représentation du plus récent von Trier au Quartier latin.

Un film de répertoire, ça doit être son genre.

Il a accepté mon invitation. Je suis arrivé au cinéma, me suis posté devant la billetterie où nous avions rendez-vous et je l'ai attendu. Je tentais de dompter mon impatience en occupant mon esprit avec mon environnement immédiat. J'observais les passants avec une ferveur inquiétante. J'inventais des histoires aux couples d'amoureux. J'imaginais nourrir les pigeons et les itinérants. Au bout de quinze minutes, je me suis énervé. Les bandes-annonces venaient de débuter et Charles n'avait pas daigné m'envoyer le moindre avertissement pour m'informer de son retard ou d'un empêchement.

Si tu penses que je vais m'empêcher d'aller voir un film parce que tu m'as planté là, détrompe-toi!

Une demi-heure après mon retour du cinéma, une jeune femme est venue cogner à ma porte. Début trentaine, pas très grande, les cheveux noirs attachés en queue de cheval, un rouge à lèvres discret, Voisine avait l'air gêné.

— J'ai vu un garçon coller ça sur ta porte tout à l'heure, dit-elle en me remettant le bout de papier qu'elle tenait dans sa main gauche. Il était tombé, alors j'ai préféré le prendre avec moi pour pas qu'il parte au vent.

— Merci...

C'était la première fois que je voyais autre chose que son profil.

— Alors, c'est ça... Je dois y aller, moi.

Le message était signé par celui qui venait de me poser un lapin :

«Désolé Émile! J'ai complètement oublié notre rendez-vous au cinéma. Je m'en suis rendu compte 20 minutes après le début du film. Je m'excuse sincèrement. Charles.»

Devais-je accepter ses excuses ou l'envoyer promener? Impossible de trancher. La seule chose qui me semblait claire, c'était que j'avais intérêt à mettre mes aspirations amoureuses sur pause pour un moment. Mes espoirs et mes déceptions me grugeaient beaucoup trop d'énergie.

::

Un brin découragé, je regardais mon reflet apparaître sur le mur vitré de la Bourse de Montréal. Après un mois de répit, je reprenais ce travail aussi ennuyant qu'un match de curling, un lundi soir de juin, entre minuit et une heure du matin.

— Bon matin, coco!

— Allô Marcelle… S'il te plaît, raconte-moi quelque chose pour me faire changer d'air. Je suis tanné d'avoir le visage long, chaque fois que j'arrive ici.

— T'as le choix : soit je commence en te racontant pourquoi la police est venue arrêter Julie le premier jour de tes vacances, soit je te donne les détails du mini-scandale avec Bryan la semaine dernière.

— *Oh boy…* Commence avec Julie !

Ma collègue avait été prise en train de voler cinq cents dollars dans la petite caisse des ressources humaines réservée aux anniversaires des employés. Selon Marcelle, le patron des R.H. avait porté plainte à la police, et on n'avait plus entendu parler de Julie depuis.

— Pis Bryan, c'est quoi son histoire scandaleuse ? Ça peut quand même pas être pire !

Notre charmant consultant n'avait effectivement rien fait de criminel, mais il avait confié à Marcelle et Alyana qu'il s'était enfermé dans une toilette du troisième étage pour une petite vite avec Marie-Annick, la stagiaire en marketing.

— Pis il s'en vante ?

— Il peut être très gars-gars quand il veut…

— En tout cas, si un client se plaint que je suis dans la lune et que je fais mal mon boulot, c'est sûrement parce que je suis en train de les imaginer…

— Imaginer quoi ? demanda Bryan derrière moi.

— Euh… rien… Marcelle me suggérait d'imaginer les visiteurs imbéciles exploser dans ma tête…

— *Man, I think you need to change your mind a little.* On ira prendre un *drink* bientôt. *Just you and me.*

— *Anytime !*

Après s'être assurée que le plus bel homme de la Bourse de Montréal était assez loin pour ne plus nous entendre, Marcelle s'est exclamée :

— Si tu le saoules un petit peu, peut-être que tu vas réussir à le faire changer de bord !

— J'ai autant de chances que toi de frencher Bryan, répondis-je en éclatant de rire. Pis tu pourrais être sa mère. Ça te donne une idée !

::

Triste constat du jour : c'est pas mal plus facile de consacrer quinze heures par semaine à des étrangers-homosexuels-relationnellement-envisageables que de créer des liens avec ses voisins. Aujourd'hui, j'ai décidé que l'heure était venue d'améliorer ma vie sociale extraprofessionnelle. Je me suis emparé de la pire des excuses — une tasse à mesurer — et je suis allé sonner chez Voisine.

— Salut... Je vais peut-être avoir l'air bizarre vite de même, mais je viens de réaliser que j'ai pas assez de farine pour faire mon gâteau. Pourrais-tu m'en donner un peu ? Tu me sauverais la vie.

Apparition d'un sourire moqueur sur le visage de Voisine.

— Quoi ? Qu'est-ce que j'ai dit ?

— Écoute, on se fera pas croire que t'es venu ici parce que tu veux faire un gâteau...

— Pourquoi tu dis ça ?

— Parce que depuis que tu vis à côté, j'ai entendu ton détecteur de fumée sonner au moins dix fois, pis ton bac de recyclage est toujours plein de boîtes de repas préparés. Ça m'étonnerait que tu sois du genre à te faire à manger.

Soudaine sensation d'être ridicule.

— Hey, fais pas cette tête-là ! T'es pas le premier à s'inventer une raison bidon pour aller parler à quelqu'un. Je devrais faire pareil pour sortir de mon monde une fois de temps en temps...

— C'est quasiment rassurant de savoir que je suis pas le seul antisocial du quartier.

— T'es pas antisocial. T'es juste… je sais pas, tu dois avoir des besoins différents.

— Peut-être.

— Écoute, on va faire un pacte : je reste dans ma bulle, tu restes dans ta bulle, on se dit bonjour quand on se croise, mais si on a l'impression de devenir des extraterrestres, on se rend visite pendant cinq minutes et on fait comme si on avait besoin d'un ingrédient pour faire à manger.

— *Deal!* Sur ce, je vais rentrer chez moi. Faudrait quand même pas que les voisins se rendent compte qu'on est sympathiques. Des plans pour qu'ils viennent nous parler…

::

J'envoyais valser mes fantasmes dans le verre du voisin. Je zieutais le néant au lieu de mater ses lèvres et son cou. La faune qui nous entourait était fascinante : tant de maquillage et si peu de tissu, tant de muscles et si peu de classe.

Bryan. Jeudi soir. Lui et moi, seul à seul dans un bar, rue Saint-Laurent. Malgré tous les efforts que je faisais pour le nier, j'étais complètement pâmé devant lui : ses six pieds de corps, son complet ajusté, gris cendré, sa chemise magenta, ses fesses rebondies, ses cheveux courts, sa barbe fraîchement taillée, ses yeux noisette, son nez pointu et son adorable fossette.

— Émile, *I have question for you…* C'est comment avec un gars ?

Nous étions assis au bar depuis deux heures. Sur les quatorze *shooters* de téquila que nous avions commandés, Bryan en avait bu neuf. Son bras gauche entourait mes épaules et dix petits centimètres empêchaient nos visages de se frôler. Mes organes internes étaient en train de se dissoudre sous les effets de ma nervosité.

— Je sais pas trop comment répondre à ta question…

— *What do you mean?* Dis-moi pas que t'es encore *a virgin*! lança-t-il comme une boutade, avant de voir mon visage changer. Oh, *I mean*, comment ça se fait? *You are very handsome, funny, brilliant…*

— Arrête…

— *So… you never… nothing? Not even a handjob?*

— Rien du tout. J'ai embrassé un gars pour la première fois au printemps…

— Wow! *I think I would be dead by now.* Vingt ans sans sexe!

— Ben imagine comment je me sens!

— *Man*, on va devoir te trouver quelqu'un. *Anybody!* Je vais en parler à Marcelle. *I'm sure we could help!*

CHAPITRE 8

Étendue sur mon lit depuis des heures, Clara révisait ses notes de cours avec une concentration remarquable. Pour ma part, je fouillais dans mes archives de photos et je clavardais avec Charles pour la première fois depuis qu'il m'avait posé un lapin. Nos échanges, simples et courtois, me permettaient d'oublier un bref instant l'impression d'avoir perdu mon talent de photographe entre Matane et Montréal. Au bout d'un moment, j'ai proposé à mon amie d'aller diluer notre besoin de performer dans un café de la rue Laurier.

— Tu veux quoi ? demandai-je en salivant devant le présentoir de desserts. Le gâteau au fromage ou celui avec du chocolat qui sort de partout ?

— Celui au chocolat !

Pendant que Clara commandait nos cafés en se faisant draguer par le serveur, je me suis avancé seul parmi les tables du deuxième étage. Je cherchais où m'asseoir, lorsque mon regard a croisé le sourire d'un charmant spécimen. J'ai pris place à une table quelques mètres plus loin.

— Aide-moi surtout pas ! rugit Clara en déposant nos cafés mokas et notre pointe de gâteau triple chocolat.

À mi-chemin de sa troisième session, mon amie avait le nez constamment plongé dans ses bouquins. Sa fatigue s'accumulait au fur et à mesure que diminuait sa tolérance.

— Désolé, mademoiselle la grognonne, j'avais la tête ailleurs. Le gars au fond à droite me quitte pas des yeux depuis que je suis monté.

— Va lui parler!

— Es-tu folle?

Au lieu d'accepter mon refus, Clara m'a proposé de la laisser transmettre mon numéro au joli Moyen-Oriental. Tel un enfant de huit ans qui ne sait pas comment déclarer sa flamme à la plus belle fille de sa classe, j'ai donné le feu vert à Clara la messagère.

— Mais compte pas sur moi pour être là quand tu iras le voir!

Terrifié à l'idée que Regard de Braise veuille me parler, j'ai englouti ma moitié du gâteau et j'ai quitté le café en vitesse, pendant que Clara jouait les entremetteuses. Le vent d'octobre punissait mon absence de courage en me glaçant les entrailles.

Tu es ridicule!

Je suis sorti de ma cachette aussitôt que j'ai vu Clara franchir la porte du café. Elle semblait fière de son coup.

— Il m'a dit qu'il allait te téléphoner!

Le lendemain soir, il m'a appelé.

— Tu laisses souvent ton amie donner ton numéro aux inconnus?

— Non, jamais, je suis désolé… C'était un peu enfantin. Je savais pas comment réagir.

— J'ai trouvé ça plutôt mignon.

— Est-ce que je peux me racheter en t'invitant pour un café?

— Si ça veut dire que je vais revoir ton petit air gêné, je te réponds oui. Demain, vers vingt-deux heures?

— Parfait! À demain, répondis-je sans trop savoir comment j'avais pu faire ce premier pas.

J'avançais rue Laurier en entendant mon cœur jouer une fanfare dans ma cage thoracique. Adossé près de l'entrée du café, Regard de Braise m'attendait avec deux cafés dans les mains.

— J'avais envie de marcher, plutôt que de rester assis, dit-il en me faisant la bise.

— Pas de problème.

Durant les trente premières minutes de notre tournée du Plateau-Mont-Royal, j'ai appris que Regard de Braise était un jeune étudiant en droit de l'Université de Montréal. Libanais d'origine, âgé de vingt-huit ans, il vivait à Montréal depuis environ deux ans. *Mon premier étranger.*

— Je peux te poser une question indiscrète?

— Oui, oui, ne te gêne pas.

— Les gais sont perçus comment dans ta faculté? Peut-être que je me trompe, mais j'ai toujours eu l'impression que les avocats étaient super conservateurs.

— C'est curieux, je m'attendais à ce que tu me demandes si l'homosexualité était mal vue chez les Libanais.

— Ça doit pas être simple...

— Tu serais surpris. Le Liban est probablement le pays le plus ouvert d'esprit du Moyen-Orient. On est loin de la scène gaie de Montréal, mais ce n'est pas si mal. Pour le reste, personne ne sait que je suis gai à l'université, alors il n'y a pas de problème.

— Pour vrai? Tu te caches?

— Pas vraiment... Les autres étudiants n'ont pas besoin de savoir avec qui je couche.

— Ouin, sauf que les gens parlent souvent de leur vie personnelle quand ils apprennent à se connaître.

— Toi, est-ce que tu te présentes à tout le monde en disant que tu es gai?

Sa question ravivait des souvenirs enfouis depuis longtemps dans ma mémoire: les élèves de mon école secondaire qui jugeaient ma démarche, ma posture ou ma façon de sourire; les murs que je longeais en essayant de contrôler mes mouvements; les soirs où je m'endormais en priant pour ne pas être attiré par un de mes collègues de classe, pour ne pas être gai pour vrai et pour ne plus être gai jamais. Quelques années plus tard, l'idée d'agir comme Regard de Braise me semblait intolérable.

— Bien sûr que non! Je comprends que tu veuilles éviter les ragots, mais je serais incapable de me cacher. De toute façon, ça doit être une affaire de perception... ou de culture.

— C'est étonnant que tu dises ça... Tu n'as pas l'air très québécois.

— Comment ça?

— Parce que j'ai l'impression que tu veux me découvrir pour vrai.

— Tu trouves les Québécois superficiels?

— Les Nord-Américains en général s'intéressent davantage à ce que les gens font, très peu à ce qu'ils sont.

Vers une heure du matin, quelque part au centre-ville, nos paroles ont commencé à se faire de plus en plus rares, et notre vitesse de croisière, de plus en plus lente. Au coin d'une rue, Regard de Braise a manœuvré pour que je me retrouve entre lui et le mur d'un immeuble. J'étais à un cheveu de mon deuxième baiser.

Ne te défile pas, Émile. Ne te défile pas.

Après avoir convaincu mon cerveau de se taire un instant, j'ai fini par me laisser embrasser.

— C'est la première fois que tu embrasses quelqu'un?

Regard de Braise venait de reculer d'un pas.

— Non... pourquoi?

— Pour rien...

Pour rien, mon œil! Dis-le que j'embrasse comme un débutant!

— Je peux savoir combien ça t'a coûté? demanda-t-il en pointant le centre de mon visage.

— De quoi tu parles?

— De tes chirurgies. C'est correct, Émile, t'as le droit.

— QUOI? J'ai *fucking* juste vingt ans et j'ai jamais eu de chirurgies esthétiques!

— Je ne te crois pas… Ton nez est symétrique, tes lèvres sont charnues ; les Québécois ne sont pas faits comme ça. Ça ne peut pas être naturel.

— Mais c'est quoi ton problème ? Ça… ça se dit pas, des affaires de même !

— Arrête. Je te le dis que ça ne me dérange pas.

— Va chier !

Je suis rentré chez moi au pas de course. «Ton visage est trop beau pour être vrai» se classait assurément au top des pires techniques de séduction.

Ironiquement, les paroles de Regard de Braise me rappelaient à quel point je ne m'étais jamais trouvé beau. Le teint pâle, les joues roses en permanence, trop de bras, trop de jambes, aucun muscle dans le haut du corps et une posture de géant que j'avais mis des années à apprivoiser.

— Tes yeux sont les plus beaux du monde, me répétait Clara chaque fois qu'elle en avait l'occasion.

— Mais j'ai les paupières lourdes…

— Émile, je te l'ai toujours dit, il y a quelque chose de spécial au fond de ton regard.

— On appelle ça un cerveau…

— Niaiseux ! Je suis sérieuse. Tu peux pas continuer à te rabaisser comme ça.

Je n'essayais même pas de faire pitié pour qu'on me complimente. J'exigeais de moi le meilleur, mais je ne m'étais jamais aimé suffisamment pour sourire à mon reflet dans le miroir. J'avais toujours cru que ma seule option pour intéresser quelqu'un était d'être le plus drôle, le plus cultivé et le plus n'importe quoi pour compenser.

Bonjour la pression.

::

Tous les employés de la Bourse se rendaient au lunch organisé pour le départ à la retraite de la directrice du service de la comptabilité, après quinze ans de loyaux services. Puisque je ne la connaissais pratiquement pas, la célébration n'était rien d'autre pour moi qu'une occasion d'être payé sans travailler pendant une heure et demie. Bryan et moi faisions le tour du buffet comme si nous avions jeûné depuis deux mois. Nos assiettes débordaient de sandwichs, de salades, de fromages hors de prix et de canapés au goût étrange. Nous enfilions les flûtes de champagne sans que rien n'y paraisse. Lorsque notre taux d'alcoolémie s'est approché du seuil critique de la bienséance, nous sommes passés aux desserts : croustade aux pommes, tartes à la rhubarbe, gâteaux Reine-Élisabeth, salade de fruits, crème glacée. J'allais m'emparer de la dernière pointe de tarte lorsque la main de Bryan a freiné le mouvement de mon poignet. Décharge électrique. Mes muscles ne pouvaient tout simplement pas résister au contact de sa peau.

— Hey, *kiddo* ! On pourrait partager…

Un dessert, deux fourchettes, Bryan et moi qui mangions dans la même assiette. D'apparence anodine, ce geste me rappelait toutes les fois où j'avais perdu mes moyens en sa présence :

- Seul avec lui dans un ascenseur ;
- Dans son bureau fermé, à regarder une vidéo sur YouTube ;
- Quand sa bouche approchait de mon oreille pour me confier une bêtise à l'heure du lunch.

De son point de vue, cette proximité était celle d'un ami, voire d'un grand frère ; du mien, c'était un supplice quotidien.

Sa dernière bouchée avalée, Bryan a déposé sa fourchette en me regardant avec un air espiègle.

— Émile, *do you think you are the only one ? I mean*, le seul gai *that's working here.*

Je m'endors un soir sur deux en espérant que tu le deviennes…

— Je pense que oui. Il y a peut-être une ou deux lesbiennes *undercover*, mais c'est tout.

— *That's too bad…*

— Pourquoi ? Tu voulais me conseiller de faire des *quickies* sur mes heures de travail ?

— Nah, *I'm serious.* Il faut te trouver quelqu'un.

— Ouin, bon, peut-être… En attendant, je vais retourner travailler. Faudrait quand même pas que je sois célibataire ET sans emploi.

— *Yeah, 'cause that would suck !*

::

Dix : nombre de jours à me faire harceler par le Libanais *freak* de la chirurgie qui ne comprenait pas que son chien était mort.

Sept : nombre de matins à me regarder dans le miroir pour vérifier si mon visage avait vraiment l'air refait.

Cinq : nombre d'heures à me sentir coupable d'avoir éliminé Regard de Braise aussi rapidement.

Trois : nombre de minutes à maudire mes collègues qui venaient de remettre mon numéro de téléphone à un acteur beaucoup trop mignon, « juste pour me rendre service », après l'avoir vu me draguer au cours d'une visite.

Le soir même de l'opération « Émile est trop poche pour se trouver un mec, alors on va le faire à sa place », le nom de Mister Théâtre est apparu sur l'afficheur de mon cellulaire.

— Bonsoir Émile, dit-il en modulant les intonations de sa voix pour obtenir un maximum d'effets. Je te dérange ?

— Non, non…

— Tu as le temps de discuter un peu…

— Un peu, oui.

Selon ce que j'avais observé pendant sa visite, Mister Théâtre aimait faire du charme à tous ceux qui croisaient sa route. Hommes et femmes confondus.

— T'étais pas mal plus jasant tantôt…

— J'étais payé pour parler, c'est pas pareil…

— Tu fais beaucoup d'effort pour me décourager, je trouve.

— En fait, je pense surtout que je suis trop jeune pour toi.

Façon gentille de lui dire que je n'étais pas du tout intéressé par un homme de quatorze ans mon aîné.

— T'as quel âge pour me dire ça ?

— Vingt ans.

— Ben tu sauras que ma dernière relation était avec un gars de vingt-trois ans et qu'on est restés ensemble deux ans.

— Tu m'en vois ravi…

— Arrête de jouer au gars au-dessus de ses affaires…

— Je… je fais rien.

— J'ai déjà eu vingt ans moi aussi, tu sais. C'est facile de croire que tu peux faire ce que tu veux avec les hommes qui s'intéressent à toi.

— Mais non, c'est pas ce que je pense…

— Alors, laisse-toi surprendre un peu.

Quoi répondre ?

— Viens voir ma pièce au TNM et passe dans ma loge ensuite pour qu'on discute.

— Tu sais même pas qui je suis. Tu m'as seulement entendu parler d'histoire pendant une heure.

— J'ai quand même eu le temps de te trouver charmant.

Chacun de ses compliments faisait fondre ma répartie.

— Blablabla…

— OK, je te laisse tranquille. Mais on se parle demain après mon spectacle.

Un quart d'heure avant le lever du rideau du Théâtre du Nouveau Monde, je franchissais plutôt les portes de la Place des Arts afin d'assister à une production à la Cinquième Salle. Tout juste avant d'éteindre mon cellulaire, j'ai vu que Mister Théâtre m'appelait.

— Tu fais quoi ce soir, mon beau ?

— Je suis au théâtre…

— T'es venu me voir sans accepter mon billet ?

— Euh, non… En fait, j'assiste à une autre pièce, celle qui joue de l'autre côté de la rue…

— Pour vrai ? En tout cas, tu t'y prends vraiment mal pour marquer des points avec moi.

— C'est parce que je les ai déjà tous marqués… Allez, merde !

Environ quarante-huit heures plus tard, un texto poli m'a été envoyé :

« Invitation en bonne et due forme pour jeune homme vertueux. Viens prendre un verre dans mon loft si le cœur t'en dit. xx »

Si Mister Théâtre avait été infiniment trop direct au début, ce texto plus *soft* avait fini par me convaincre.

Avoue que tu veux seulement voir à quoi ressemble un loft de vedette…

Trois stations de métro plus loin, j'ai mis les pieds dans le condo de celui que je regardais à la télévision depuis quinze ans.

Note à moi-même : ne pas lui faire remarquer que je commençais la maternelle quand il a obtenu son premier rôle.

Quand Mister Théâtre m'a ouvert la porte de son appartement, j'ai pris le temps de détailler le grand salon tout près de l'entrée, le prix Gémeau et les deux trophées Artis qui s'y trouvaient, l'écran de télévision beaucoup trop large pour que je puisse le mesurer, le meuble débordant de livres et de coffrets de DVD, la table de verre au piètement de laiton, les électroménagers en inox et la porte entrouverte de sa chambre à coucher. Une fraction de seconde après avoir pris ma veste de laine et mon foulard, mon hôte a proposé de me faire un mojito. En le voyant s'éloigner, j'ai eu un sursaut de paranoïa qui est venu étouffer ce qu'il me restait de cohérence.

Flash : Mister Théâtre met une substance douteuse dans mon verre pour me violer.

Flash : je me débats flambant nu sur son lit et je perds connaissance en essayant de me défendre.

Flash : je cours dans la rue, avec un coussin pour seul vêtement, en espérant croiser un taxi ou une voiture de police.

Flash : le magazine Échos Vedettes annonce les détails exclusifs d'une histoire sordide avec « des photos que vous ne verrez nulle part ».

Du calme, Émile, il revient.

— Tiens. J'espère que t'es fait solide. Il est assez fort.

Rassurant.

— À vrai dire, j'ai la tolérance d'une minette. C'est sûr que ça va être mon seul *drink* de la soirée…

— Toujours aussi sage.

— Tu te bases sur quoi pour dire ça ?

— Sur le fait que tu bois presque pas et que tu résistes encore à mes charmes…

Un malaise, deux hommes sur un canapé et quelques gorgées d'alcool plus tard, Mister Théâtre essayait de reprendre le contrôle de la situation. Visiblement peu habitué d'avoir à discuter plus que trente minutes avant de passer au lit, il a tenté de me convaincre de ses bonnes intentions.

— Tout le monde pense que je suis volage, mais j'ai pas le temps de courailler avec mon horaire de fou.

— Si t'avais le temps, tu coucherais avec tout le monde ?

— Je te jure que je veux un amoureux sérieux, Émile.

— Je trouve que tu jures pas mal vite pour un gars pas si volage que ça…

Un malaise, deux hommes sur un canapé et encore plus d'alcool plus tard.

— Ce que tu vois comme de la « sagesse », c'est de la prudence et de l'inexpérience… confessai-je en espérant calmer ses ardeurs.

— Il est jamais trop tard pour commencer… C'est tellement *hot* un débutant. Je connais des dizaines d'hommes qui rêvent de dépuceler un petit jeune comme toi.

Malaise. Malaise. Malaise.

— En tout cas, c'est certainement pas avec un *one night* que je vais commencer…

— Si tu voulais, je pourrais te faire un massage et y aller tranquillement. Je suis sûr que t'aimerais ça.

Trop d'information, trop d'images! Trop d'information, trop d'images!

— T'es sérieux, là? Tu penses vraiment que je vais vivre ma première fois avec toi?

— Ben, ce serait fait, tu serais débarrassé.

— Eurk! Tu parles de ma première relation sexuelle comme d'un vieux kleenex! Y a aucune chance que je couche avec toi!

— Pourquoi t'es venu alors?

— Pour apprendre à te connaître!

Sans écouter la réplique insignifiante qu'il venait de balancer, j'ai quitté son appartement à toute vitesse en jetant un œil à l'horloge qui trônait au centre de ses trophées : une heure douze. J'étais perdu quelque part entre les métros Mont-Royal et Laurier. J'avançais avec détermination, tentant de conjurer le sort en contrôlant la vitesse de ma démarche, à défaut de pouvoir en faire autant avec ma vie relationnelle. Malgré ma rapidité et ma volonté, l'autobus sur Saint-Denis m'est passé sous le nez avant que j'arrive au coin de la rue. Je n'avais d'autre choix que de marcher jusque chez moi. Une quinzaine de minutes vers le nord et quinze autres vers l'est.

Une fucking *demi-heure de trop après une soirée de marde!*

Je racontais mon histoire à Bryan et Marcelle en constatant que mon *kick* des dernières semaines prenait un malin plaisir à se payer ma tête.

— Bryan, arrête de rire ! C'est tellement de.votre faute en plus. Vous devriez être gênés.

— *We'll try to do better next time*, lâcha-t-il en retournant vers son bureau.

— Comment ça ? demandai-je à Marcelle. Quelle prochaine fois ?

Ma collègue avait déjà la tête ailleurs.

— *Anyway*, y a pas grand-chose qui fonctionne ces temps-ci : mes *dates* sont toutes des échecs, je prends aucune bonne photo depuis des mois et je travaille comme un pied...

— Émile, arrête de dire que tu travailles mal, personne te croit.

— Non, non, Marcelle, tu comprends pas. Ce matin, j'ai dit que la Bourse avait été fondée en 1973 et je me suis obstiné avec un vieux qui voulait guider la visite à ma place. Je commence à perdre la main...

— Dis-toi que si tu fais des erreurs aujourd'hui, tu vas être impeccable pendant le *rush* des fêtes.

— Ah ! Parle-moi pas de ça ! Me faire travailler à Noël, c'est pire que de m'envoyer à Guantanamo !

16 h 22 — jeudi 23 décembre 2010

À : **Lilie Jutras** (lilli.guliver@yahoo.ca)
De : Émile Leclair (mile_et_une_nuit@hotmail.com)
Objet : S.O.S. d'un terrien en détresse

Lilie,

Ma vie est une vraie farce. Les hommes pensent que je suis accroc aux chirurgies OU ils veulent juste me baiser.

1. Clara a donné mon numéro à un mec qu'on a croisé dans un café. Je l'ai vu une fois, on a frenché, j'ai fait ça comme un pied, il était convaincu que j'avais la face refaite, pis je suis parti en courant.

2. Mes collègues ont joué aux marieurs avec Mister Théâtre. Tu sais, l'acteur trop *cute* qui te fait capoter depuis que t'as neuf ans. Il est bisexuel, *by*

the way… Il m'a cruisé à la *job*, je suis allé chez lui, il a voulu me sauter dessus, j'ai refusé, pis je suis parti en courant.

3. S'il y a un concours pour trouver la pire *job* du monde, c'est clair que je le gagne sans me forcer. Ça fait huit mois que je suis à la Bourse de Montréal et ça fait huit mois que je veux partir en courant… J'ai trois collègues qui sont des amours (dont un hétéro vraiment trop *cute*), mais mon patron s'est mis dans la tête de me faire travailler entre Noël et le jour de l'An. C'est n'importe quoi. Je te jure, chaque fois que je *date* un gars, j'évite de parler de mon boulot. Je passe environ 12 heures par semaine à répéter des niaiseries à des jeunes qui ne m'écoutent pas, à des vieux qui n'ont pas de vie et à des cinglés qui tripent sur l'histoire et les finances. Y a même du monde qui me demande des conseils sur les placements en Bourse… Je suis découragé de la vie, Lilie. En plus, Charles m'a dit l'autre jour que je rencontrais des gars comme si c'était un emploi à temps partiel. Le pire, c'est qu'il a raison ! J'investis au moins 15 heures par semaine à discuter avec des mecs ou à les rencontrer, même si ça ne donne rien. Je ne sais plus quoi faire.

Émile

P.-S. : Raconte-moi donc ta vie deux, trois fois en détail, question de me changer les idées.

17 h 04 — jeudi 23 décembre 2010

> **À :** **Émile Leclair** (mile_et_une_nuit@hotmail.com)
> **De :** Lilie Jutras (lilli.guliver@yahoo.ca)
> **Objet :** Re : S.O.S. d'un terrien en détresse

Salut coco,

4. T'aurais jamais dû me dire que Mister Théâtre était bisexuel ! Les plus beaux hommes sont tous de ton bord ou à moitié, c'est consternant… Je pense que je vais faire une grève de la faim en signe de protestation.

5. C'est quoi l'idée de travailler à la Bourse de Montréal avec le talent de photographe que tu as ? Je sais, je sais… monsieur refuse de voir ça comme un métier depuis que son père est mort « en train de photographier des osties de poissons rares ». Mais tu as un don, Émile ! C'est pas vrai que le *peak* de ta carrière, ça va être « guide à la Bourse de Montréal ».

6. Je pense que tu as besoin de te défouler un peu. Tu devrais aller faire du théâtre ou quelque chose du genre. Ma cousine est allée aux Ateliers Danielle Fichaud l'an dernier et elle a tripé. Je suis sûre que ça te plairait. Depuis le temps que je te dis que t'as un talent pour le jeu. Pis c'est clair que tu vas rencontrer des beaux mecs (probablement tous gais) là-bas.

7. Tu vas être déçu si je te raconte ma vie deux, trois fois en détail. *Same old, same old*. Je passe beaucoup de temps avec Jean-François, on s'amuse. Ma *job* est probablement pire que la tienne, et je commence à penser faire autre chose. Je pense à m'inscrire à l'université l'an prochain.

8. En passant, ta mère est en feu ces temps-ci. Elle fait le ménage partout, elle jette plein d'affaires et elle a recommencé à se maquiller. On dirait qu'elle veut rencontrer quelqu'un… Peut-être même qu'elle serait capable de déménager. En tout cas.

Lilie

P.-S. : (CHARLES ! ? ! ? C'est qui ça, Charles ?)

::

Mon patron avait eu raison. Mes cordes vocales brûlaient à l'idée d'exprimer une chose pareille, mais les sept derniers jours de visites guidées à la Bourse de Montréal avaient été les plus rentables de l'année.

— Émile, c'est fantastique ! Les visiteurs n'ont que de bons mots pour toi : « Il parle bien, le petit gars, il connaît son affaire. » ; « C'est un charme de l'écouter nous raconter l'histoire pendant une heure. » ; « Vous avez fait une belle prise en engageant ce jeune homme. »

Ses compliments n'avaient aucun effet sur moi. Mon travail minable venait de se terminer et la dernière soirée de l'année allait bientôt commencer. Du chinois à emporter, un litre de crème glacée, une mini bouteille de champagne, trois DVD et le cadeau que la *mamma* m'avait envoyé : une couette sur laquelle des centaines de photos prises par mon père avaient été imprimées.

Armé de mon appareil photo, je regardais 2010 tirer sa révérence en gardant un souvenir des nuages de fin d'année. Au moment où Lilie et la *mamma* célébraient le réveillon en Gaspésie, je retournais m'asseoir seul dans mon salon.

Choisir la solitude, ça me va. Mais pas la subir…

Impuissant devant ce genre d'isolement, je sentais monter en moi une impression de déjà-vu.

Le 9 août 2006, couché sur le gazon derrière la maison, je photographiais les cumulus qui se pointaient le bout du nuage lorsque la porte-fenêtre s'est ouverte brusquement. Ma mère s'est approchée avec une énergie que je ne lui connaissais pas. Le visage placide, les yeux vitreux, les mains tremblantes, elle s'est assise à mes côtés en chuchotant : « Il y a eu un accident… » Mon père était mort noyé. Son corps s'était échoué sur la berge. Mon père s'était échoué. Mon père avait échoué…

Pendant des semaines, je m'endormais seulement quand ma tête se déposait sur le ventre de ma mère. Ses doigts caressaient mes cheveux jusqu'à ce que la fatigue prenne le dessus. Je ne ressemblais plus à rien. Je ne pleurais plus. Je ne parlais plus. Je refusais à ma bouche les mots qui flottaient dans ma tête.

Pourquoi t'es pas remonté ?

Vers la fin du mois d'octobre, j'ai décidé de retourner à l'école, tel un ouvrier d'usine désœuvré. *Punch in. Punch out.*

Je rentrais chez moi après les classes, je donnais l'impression à mon estomac qu'il m'était encore d'une quelconque utilité et je faisais mes devoirs avec une force que je ne m'expliquais pas.

Exister était devenu une corvée.

Le congé des fêtes s'était pointé et tout avait changé : les dessins animés de *Ciné-cadeau* que je regardais sans lui sur le canapé, le lait de poule qui ne goûtait plus comme avant, les chocolats Ferrero Rocher que je mangeais seul le 26 au matin, ma mère qui se mettait belle en ne croisant plus le regard de celui qui la désirait.

La *mamma* qui avait vu naître une relation avec son fils, grâce à la mort de son mari.

À vingt-trois heures cinquante-neuf, pompette et repu, j'ai entendu mon cellulaire hurler la chanson de Bing Crosby que j'utilisais comme sonnerie depuis une semaine : « *I'm dreaming of a white Christmas. Just like the ones I used to know…* »

— 6, 5, 4, 3, 2, 1, BONNE ANNÉE ! crièrent en chœur Lilie et la *mamma*.

Des bruits de flûtes et de baisers sur les joues se faufilaient jusqu'à moi.

— Pis, mes cadeaux ? demandai-je pour retrouver leur attention.

— Une reliure avec les programmes d'études des universités montréalaises… Y a tellement juste toi pour me donner ça.

— Quand je suis allé chercher des informations pour moi, je me suis dit que ça te ferait pas de tort.

— Vu de même.

— Pis mon vrai cadeau, lui ?

— Grand fou ! dit la *mamma*. T'avais pas besoin de nous acheter des billets d'avion pour qu'on aille te voir.

— Je prends pas de chance. De toute façon, ça a l'air que tu ne resteras pas à Matane très longtemps, alors je sais plus si mon idée est bonne…

— Pourquoi tu dis ça, trésor ?

— Lilie m'a expliqué l'autre jour que t'avais besoin de changement et que tu déménagerais bientôt.

— T'as compris tout croche, Émile, trancha Lilie. Je t'ai seulement dit que ça me surprendrait pas si ça arrivait un jour.

— C'est du pareil au même.

— Pas du tout, grand bébé.

— Je peux en placer une ? interrompit ma mère. On va quand même pas gâcher le début du Nouvel An avec des niaiseries.

— C'est pas des niaiseries. C'est notre maison, c'est la maison de papa…

— Émile Leclair, écoute-moi deux secondes. Je fais du ménage, je change les meubles de place, pis je me cherche un boulot. On appelle ça se prendre en mains.

— Pour faire quoi? T'as l'argent des assurances pour vivre.

— J'ai envie d'un nouveau départ, moi aussi.

— T'es pas obligée de vendre la maison pour ça.

— Veux-tu ben arrêter de t'en faire! Notre maison ne sera jamais à vendre, personne d'autre que toi et moi va l'habiter.

Je m'étais emporté pour rien.

— Oh… OK. Je me suis peut-être imaginé n'importe quoi…

— C'est pas nouveau… *By the way*, c'est qui Charles?

— Je t'en ai déjà parlé, Lilie. C'est le gars qui m'a abordé dans la rue cet été, quand j'attendais Clara au cinéma.

— Celui qui s'était pas pointé à votre deuxième *date*?

— Ben oui, c'est lui, merci de me le rappeler…

— Alors, c'est quoi l'histoire? Vous vous entraînez à faire des bébés?

— Ben non! On se parle sur Internet…

— Et tu vas nous faire croire que c'est platonique? ajouta la *mamma*.

— On est en train de devenir des amis, c'est tout.

— Il est gai, lui aussi, *right*?

— Entre autres choses…

— En tout cas, j'ai ben hâte de voir combien de temps deux gais dans la vingtaine vont pouvoir rester amis sans se toucher.

— Pfff! N'importe quoi…

— C'est pas de votre faute: vos hormones vous font capoter.

— Bon, c'est pas que je vous aime pas, mais je vais y aller. Mes voisins m'attendent.

— T'es rendu sociable, toi?

— Bye!

Quelques secondes après avoir remplacé mon pyjama par un jean, un t-shirt et un kangourou, je suis allé cogner à la porte d'à côté. Un inconnu m'a laissé entrer sans me demander qui j'étais. Les bouteilles de bière, les coupes de vin et les assiettes en carton traînaient ici et là. La porte de la chambre à coucher était fermée.

— Salut! cria Voisin en me voyant arriver dans la cuisine. Tu viens de manquer ma blonde. Elle est allée se coucher après le décompte.

— C'est pas grave... Je venais seulement vous offrir mes vœux de bonne année.

Menteur... Avoir su que Voisine était enfermée dans sa chambre, tu ne serais pas venu.

— Ben bonne année... Émile, c'est ça?

— Oui, c'est ça...

Maintenant, tu vas devoir rester au moins une demi-heure en faisant semblant que tu t'intéresses à eux.

Certains invités parlaient de la performance digne d'un Oscar de Natalie Portman dans *Black Swan*, d'autres analysaient une recette dont ils avaient entendu parler à la télé, plusieurs se remémoraient des histoires datant du secondaire, un petit groupe planifiait une partie de pêche. J'écoutais parler Voisin et je ne pouvais m'empêcher de chercher ce qui le liait à Voisine. Affable, la main sur l'épaule, le sourire généreux, la question intéressée, il était tout le contraire de sa blonde, une drôle de sauvageonne qui était allée s'enfermer dans sa chambre à minuit une. Pendant que ceux qui m'entouraient poursuivaient la soirée avec aisance et bonne humeur, j'ai listé dans ma tête mes résolutions de la nouvelle année:

– Ne plus m'autoproclamer le célibataire le plus pathétique de Montréal;

– Rencontrer quelqu'un pour accomplir la résolution n° 1;

– Vivre mes premières expériences sexuelles avec la résolution n° 2.

CHAPITRE 9

Question de donner un coup de main à mes résolutions, j'ai suivi les conseils de Lilie en m'inscrivant aux Ateliers de théâtre Danielle Fichaud. À la minute où j'ai mis les pieds dans le local de classe, j'ai compris que cette idée d'ateliers pour faire de nouvelles rencontres était tout à fait brillante. J'observais les hommes et les femmes de mon groupe en remarquant que deux des trois représentants de la gent masculine jouaient pour la même équipe que moi. Certains éléments non négligeables avaient favorisé mon analyse :

— Je possédais un « gaidar » exceptionnellement affûté qui me permettait de confirmer les préférences sexuelles de mes nouveaux collègues théâtreux en un clin d'œil.

— J'avais entendu la conversation téléphonique de l'un d'entre eux, qui disait des mots d'amour à son chéri.

— Un des gars nous avait parlé de la ligue d'improvisation Gaylaxie dont il faisait partie. Allumé, simple et chaleureux, il m'avait plu sur-le-champ.

Une fois les présentations terminées, notre professeur nous a expliqué la première activité de la soirée.

— On va faire l'exercice du neutre. À tour de rôle, vous allez vous asseoir sur la chaise, sans bouger, sans parler et sans expressions faciales. Pendant ce temps-là, les autres vont nommer les personnages et les professions qui leur viennent à l'esprit en vous regardant. Ça va vous aider à savoir ce que vous dégagez au naturel. Quelqu'un veut commencer?

Une fille début trentaine s'est avancée. De longs cheveux noirs attachés sans attention, enrobée sans être grassette, habillée d'un pantalon noir et d'un chemisier aux motifs abstraits, un regard sévère et maternel, une énergie timide et frondeuse, elle attendait depuis vingt secondes quand nos idées se sont manifestées:

— Enseignante. Directrice d'école.

— Travailleuse sociale.

— Policière.

— *Junky.*

Notre collègue arrivait difficilement à contenir un rictus d'amusement.

— Mère au foyer.

— *Tomboy.*

— Ok, un autre maintenant, interrompit notre professeur. Émile, tu y vas?

Une fois assis, je me suis assuré de garder le dos droit, les mains sur les cuisses et le visage neutre. Le défi d'être naturel était bien plus grand que je ne l'aurais cru. Mes mains avaient envie de jouer avec mes lèvres pour me calmer. Je gardais mes yeux grands ouverts en fixant un point au loin et j'essayais d'avoir l'air ni trop sérieux ni trop jovial.

— Dirigeant d'entreprise.

— Premier ministre.

— Acteur.

Ben voyons.

— Tueur.

Hein?

— Émile, essaie de ne pas réagir, lança notre professeur en voyant mon front se plisser.

— Joueur de basket-ball.

— Mannequin.

Ils se foutent de ma gueule!

— Ça m'étonnerait que je sois crédible dans un rôle de mannequin…

— Oh! Il est *cute*! dit l'enseignante-policière-toxicomane. Il sait même pas qu'il est beau…

— C'est à cause de ton regard perçant, précisa le bel Improvisateur. T'as le choix : tueur ou mannequin.

— Vu de même…

En me prêtant au jeu de la neutralité, j'avais reçu la plus haute récompense : l'attention du plus beau gars de la classe. J'allais tout faire pour la garder.

::

Je bûchais sur un extrait de pièce de théâtre depuis quelques jours et je n'étais pas du tout convaincu d'avoir du potentiel. J'oubliais la moitié de mon texte et je sonnais faux.

À ce rythme-là, je serai peut-être bon dans une autre vie…

Mes bas instincts me suggéraient de communiquer avec l'Improvisateur pour avoir de l'aide, mais je refusais de tomber dans le cliché des «cours particuliers». En fin de compte, j'ai eu l'idée d'appeler la seule personne expérimentée dans le domaine que je connaissais : Charles, l'ex-étudiant-Méritas-en-théâtre. Après m'avoir averti que je devrais vivre avec la critique, sans que ses commentaires nuisent à notre amitié, Charles est débarqué chez moi pour une première leçon.

— Le mieux, ce serait de commencer par une scène assez simple.

— Comme quoi?

— Ben, les profs suggèrent souvent aux gars de ton âge de jouer Tarzan dans *Zone*, de Marcel Dubé. Le problème, c'est qu'il est vraiment gars-gars. Je suis pas certain que tu puisses jouer ça.

— Je suis pas si féminin! Mes collègues savaient même pas que j'étais gai au début.

— Oui, bon, peut-être, mais t'es clairement pas un gros *tough* viril non plus.

— Sage observation.

— Ensuite, j'ai pensé au personnage principal dans *Le vrai monde?*, de Michel Tremblay. Un jeune tourmenté qui a une relation complexe avec ses parents. C'est intéressant, mais on devrait garder l'idée pour plus tard. Tu serais capable de remettre ta vie en question juste en répétant.

— N'importe quoi…

— Bref, en fouillant dans mes affaires, je suis tombé sur un texte de Carole Fréchette: *Les sept jours de Simon Labrosse*. Le personnage de Simon, un gars perdu, drôle, touchant, te ressemble un peu.

— *Good!* Si tu penses que je peux le travailler sans danger pour ma santé mentale, on y va pour ce texte-là.

Honnête, direct, créatif, Charles me faisait travailler une multitude d'habiletés théâtrales: la voix, la diction, la posture, le rythme du texte, la mise en scène et l'intégration de mon personnage. De semaine en semaine, une réelle complicité se développait entre nous. Il avait le don de me mettre en confiance pour me faire oublier la peur du ridicule. Avec lui, j'avais le droit d'essayer, de me tromper et de recommencer. Sans avoir besoin de performer.

::

Attablé au restaurant Byblos avec mes collègues théâtreux, je me suis presque étouffé de rire en entendant l'enseignante-policière-toxicomane essayer d'identifier les homosexuels du groupe. Automatiquement, les regards se sont tournés vers l'Improvisateur, qui semblait offusqué.

— Comment ça, c'est si évident?

— Ben, la première fois qu'on t'a vu, t'avais un arc-en-ciel de la fierté sur ton t-shirt et tu nous parlais de ta ligue d'impro gaie… Tu pouvais difficilement être plus clair, répondit ma collègue fouineuse.

Un instant plus tard, la discussion s'est dirigée vers celui que j'avais entendu faire des mamours au téléphone, le soir de notre premier atelier. À son sujet, les avis étaient partagés. Certains considéraient notre collègue français comme un potentiel homosexuel très crédible, alors que d'autres avaient du mal à prendre position. La voix, la démarche, l'attitude et l'accent pointu de nos cousins du Vieux Continent nous laissaient perplexes.

— Je suis bisexuel, si vous voulez tout savoir, déclara Européen Ambigu.

Il pouvait tout aussi bien être un de ces (rares) bisexuels avec un véritable penchant pour l'humain en général — sans préférence pour le corps de l'homme ou celui de la femme — qu'un homosexuel à temps partiel qui avait besoin de s'assumer un peu plus avant d'obtenir le statut de gai à temps plein.

Quand je le verrai frencher une fille, je le croirai!

Comme le troisième homme du groupe était papa de trois enfants, il ne restait que moi à évaluer.

Mon Dieu qu'ils sont lents…

Habitués de côtoyer des hétéros sensibles et ouverts d'esprit, mes collègues semblaient douter. Indécise, l'enseignante-policière-toxicomane s'est penchée à mon oreille pour en avoir le cœur net.

— Voyons donc, je suis gai. Il me semble que ça paraît, non?

— Vraiment pas, dit l'Improvisateur. J'étais sûr que t'étais asexué…

— Quoi??? Comment ça, asexué?

— Je sais pas, Émile, t'as toujours l'air d'un petit ange, pur de partout.

— Ben là… Vous pensiez quand même pas que j'aimais pas le sexe?

— Comment veux-tu qu'on le sache? Tu donnes jamais ton avis quand on en parle.

Ouin…

— En tout cas, j'espère que c'est clair maintenant. Je suis seulement discret.

L'Improvisateur savait désormais à quoi s'en tenir. Ne me restait plus qu'à changer l'image qu'il avait de moi et à trouver un moyen pour le séduire.

::

Extrait de la pièce de théâtre *Les sept jours de Simon Labrosse* :

Léo — Il y eut un soir, il y eut un matin, et Simon ne se découragea pas. Le matin du quatrième jour, le dollar canadien vaut 73 cents américains, et cela correspond exactement au nombre de portes auxquelles Simon a frappé pour trouver un emploi. Il se dit que pour une coïncidence, c'est toute une coïncidence, et que ça peut pas faire autrement que lui porter chance…

L'idée de trouver un nouvel emploi me tiraillait. Je n'avais pas encore eu le courage de chercher ou d'affronter l'idée de quitter Marcelle, Bryan et Alyana, mais le grand jour ne saurait tarder.

::

Mes joues se teintaient de rouge, au fur et à mesure que je m'éloignais du bureau. Au coin de Saint-Laurent et de Sainte-Catherine, je me suis arrêté devant la vitrine d'un casse-croûte pour replacer la motte de glace qui me servait de coupe de cheveux. En fouillant dans mon sac pour retrouver mon chapeau de poils, j'ai senti deux mains froides me bloquer la vue.

— Devine c'est qui ? dit un homme sans se nommer.

La voix m'était familière, mais elle n'appartenait ni à Charles ni à Bryan. Une seule option me semblait crédible : l'Improvisateur ! Le hasard était généreux avec moi aujourd'hui. Après lui avoir donné deux becs sur les joues, j'ai eu la brillante idée de l'inviter dans un café pour discuter devant un brunch de gâteaux. Au moment d'entamer notre deuxième morceau, il m'a regardé avec une drôle d'expression au fond des yeux.

— As-tu remarqué quelque chose pendant les ateliers ? Genre quelqu'un qui me regarde beaucoup…

Oh mon Dieu ! Qu'est-ce qu'il sous-entend par là ?

— Peut-être… Je sais pas…

— Ah non, laisse faire. Je devrais pas te parler de ça. C'est déplacé.

— Qu'est-ce qui est déplacé ? De qui tu parles ?

De moi ! Dis-moi que tu m'as vu te regarder.

— Tsé, un des gars, le Français…

Ah ben crisse !

— Qu'est-ce qu'il a, lui ?

— J'ai l'impression qu'il m'observe différemment quand je répète ma scène devant tout le monde. En fait, je suis convaincu qu'il me drague. Pis je pense qu'il m'intéresse…

Je me retenais pour ne pas crier. Je me suis levé d'un seul bond, j'ai enfilé mon manteau de travers et j'ai quitté le café comme une fusée. Quelques secondes plus tard, l'Improvisateur courait derrière moi.

— Peux-tu s'il te plaît m'expliquer ce qui vient de se passer ? Si j'ai fait quelque chose qui t'a choqué, tu peux m'en parler. On est des amis, quand même.

— Non, justement. On n'est pas des amis.

Ma colère n'avait plus rien à faire du tact et du respect.

— Pourquoi tu m'as invité à prendre un café, d'abord?

— Mais t'es vraiment pas vite, toi! J'espérais que tu t'intéresses à moi... Bon, t'es content, là? Je te l'ai dit. Tu me plais!

L'Improvisateur ne savait manifestement plus quoi répondre.

— Ah, pis en passant, au cas où tu le saurais pas, ton Français te fait peut-être les yeux doux, mais il est en couple!

J'ai déguerpi vers le métro. Je descendais les marches de la station Berri-UQAM en sentant ma rage s'intensifier. J'avais chaud, je transpirais, j'avais envie de tout enlever et de tout effacer.

Plus besoin de rien, ni de personne!

Je m'étais encore imaginé n'importe quoi.

Ça va faire, les faux espoirs! Pis j'arrête les cours de théâtre!

Cette triste comédie ne menait à rien de toute façon.

::

Clara me sermonnait au téléphone depuis un bon quart d'heure.

— Tu peux pas abandonner les ateliers seulement parce que ton gars a un *kick* sur un autre...

— De toute façon, je faisais du théâtre seulement pour le voir.

— Tu te racontes des histoires, Leclair... Tu te serais jamais investi autant si t'aimais pas ça.

— Bof, pour ce que ça donnait...

— Tu t'amusais et tu te changeais les idées. Là, sous prétexte qu'un gars s'intéresse pas à ta petite personne, tu vas lui laisser toute la place?

— Eille, j'ai pas envie que tu m'analyses, t'es pas ma psy...

Si Clara avait été ma psy, elle m'aurait demandé pourquoi je consacrais autant d'énergie à me trouver un amoureux, pourquoi le regard des autres devenait le centre de ma vie et pourquoi j'étais prêt à tout lâcher dès que les choses ne fonctionnaient pas à mon goût.

— Si personne t'en parle, t'évolueras jamais.

— Facile à dire… Tout va bien dans ta vie. Tu performes à l'école et tout le monde te court après. C'est pas compliqué d'évoluer dans ce temps-là.

— Tu sais tellement pas de quoi tu parles…

— Quoi? T'as eu 93 % au lieu de 98 % à ton dernier examen? Quand tu marches sur la rue, y a seulement dix-huit personnes sur vingt-cinq qui se retournent pour te siffler?

— C'est vraiment gentil de t'intéresser à ma vie comme ça… Ta compassion me touche.

Oh… je pense que je viens de faire le con…

Depuis que je chassais l'homme, je faisais preuve d'un manque flagrant de considération pour mes proches et je m'occupais presque uniquement de je-me-moi.

— La compassion pour quoi?

— Émile, fais pas semblant. Tu veux juste parler de toi.

— Clara, excuse-moi. Je veux vraiment savoir ce qui se passe.

— Ah oui? Ça t'intéresse, toi, d'entendre parler de ton amie qui est incapable de plaire à son copain?

— Pourquoi tu dis ça? T'as juste à lever le petit doigt, et les hommes font tes quatre volontés.

— Ben avec lui, peu importe ce que je fais ou ce que je dis, y a pas grand-chose qui… lève.

Je tentais de réprimer un sourire.

— Hein? De quoi tu parles?

— Il est incapable de garder une érection depuis des mois…

— Bon, tu vas me dire que je connais pas grand-chose aux relations de couple, mais quand ça va pas bien au lit, c'est souvent signe que ça va mal ailleurs, non?

— D'habitude oui, mais pas avec lui. Tout va bien, sauf le sexe…

— Peut-être que ça le fait *badtriper* de réaliser qu'il est en couple avec une des filles les plus convoitées de Montréal? Ça doit être intimidant.

— Ouin. En tout cas… souffla-t-elle en voulant manifestement changer de sujet. Tu vas me trouver fatigante de revenir là-dessus, mais je suis sûre que tu vas regretter si tu quittes les ateliers.

— Il nous reste encore six semaines de cours. Je veux pas lui revoir la face tout ce temps-là…

— T'as le choix : soit tu t'écrases dans ton petit cocon douillet, soit tu te bottes le derrière et t'avances.

— Maudit que tu m'énerves quand t'as raison…

Le soir même, j'ai également résumé la situation à Bryan : le premier cours, l'exercice du neutre, les semaines à fantasmer, mon étiquette d'asexué, le brunch de gâteaux, la déclaration, la fuite. Mon collègue m'écoutait calmement sans m'interrompre, avant de me donner un petit conseil de rien du tout :

— *Stop thinking, dude !*

Direct, lucide et sans flafla. Les avantages d'un ami de gars hétéro.

::

Peureuse, trouillarde, poule mouillée, fiche molle, toutes les expressions étaient bonnes pour décrire mon attitude dans l'escalier des ateliers. À mon arrivée dans le local de théâtre, je suis allé m'asseoir dans un coin en attendant que les autres me rejoignent. Je regardais la classe inactive en repensant aux paroles éclairées de Clara. Le théâtre me poussait à m'exprimer, à prendre ma place et à découvrir qui j'étais. Malgré la présence de celui dont je redoutais le regard, les cours m'amusaient bien plus que je le disais.

Le voilà qui arrive.

À quelques mètres de moi, l'Improvisateur enlevait son manteau, sa tuque et ses gants.

Surtout, ne pas le regarder.

— Salut Émile. Je peux m'asseoir ?

Surtout, ne pas avoir l'air fragile.

— Tu peux.

— Je sais pas trop par où commencer...

Surtout, ne pas l'aider.

— Je suis vraiment mal à l'aise. Ça doit être la même chose pour toi...

Surtout, ne pas lui donner raison.

— Honnêtement, j'aurais jamais pensé que tu puisses t'intéresser moi...

Surtout, ne pas lui demander pourquoi.

— C'est juste que... tu m'as jamais donné de signes que tu voulais autre chose que de l'amitié.

Surtout, ne pas lui dire qu'il est bien le premier à me trouver subtil.

— J'ai pris le temps de me demander si ça se pouvait. Je veux dire... nous deux.

Surtout, ne pas avoir l'air intéressé par sa réponse.

— Je te trouve super beau... la question se pose pas. On a plein de champs d'intérêt en commun, t'es drôle, cultivé, intelligent. Mais je pense pas que ça puisse fonctionner avec moi...

Surtout, ne pas le laisser s'en tirer comme ça.

— Veux-tu ben me dire pourquoi tu dis ça ?

— Je sais pas, je...

— Ben c'est ça, tu le sais pas. Tu tripes sur ton Français et tu t'imagines qu'il te veut. Pendant ce temps-là, tu me vois pas...

— Prends-le pas comme ça, Émile. Je te trouve super intéressant comme personne. C'est juste que...

— Non, je pense que tu comprends pas. J'ai pas besoin que tu m'inventes n'importe quoi pour me rassurer. Je t'intéresse pas, point. À partir d'aujourd'hui, t'existes seulement trois heures par semaine dans ma tête. T'es un gars avec qui je fais du théâtre. Rien d'autre.

À ce moment précis, le professeur nous a expliqué un exercice d'écriture improvisée en équipe de deux. La consigne était simple : toutes les cinq minutes, on devait continuer le texte là où l'avait laissé notre collègue. Pendant que le Français et l'Improvisateur écrivaient en riant comme des attardés, je me suis consolé en inventant une histoire abracadabrante avec l'enseignante-policière-toxicomane. Notre sujet : une histoire d'horreur impliquant un Québécois et un Européen qui se faisaient torturer en regardant des dizaines de films d'amour sans interruption, jusqu'à ce qu'ils n'aient plus jamais envie l'un de l'autre.

À mon tour de rire…

::

Maintenant que mon intérêt pour l'Improvisateur avait été mis hors d'état de nuire, je me voyais dans l'obligation de retourner faire un tour sur ToietMoi.com. Une nouvelle fiche s'imposait.

SURNOM : CREO	
20 ans – Montréal	Homosexuel – Célibataire
Recherche : Amour	Occupation : Employé
1,87 m, poids proportionnel	Cheveux bruns – Yeux bleus, verts ou gris
Je crois que : je sais de plus en plus ce que je veux et ce que je vaux. **Je crois que** : j'ai besoin de mouvements, d'intensité et de sensibilité. **Je crois que** : la vie n'est pas assez longue pour me faire perdre mon temps. **Je crois que** : si vous me parlez, vous risquez de tomber sur le secret le mieux gardé de Montréal.	

Mon imagination me faisait vivre les pires folies. Ma tête se transformait en radar à pétards. Mon sourire intérieur s'animait d'une telle intensité que mes yeux en profitaient pour crier « je te veux, maintenant et pour toujours » à tous les jolis passants qui croisaient ma route. L'effleurement d'une main suffisait pour me faire perdre la tête. Le parfum d'un homme n'avait qu'à croiser mes narines pour que l'envie de goûter sa peau devienne mon seul désir.

Le printemps, voilà pourquoi je flirtais avec deux gars en même temps.

Depuis que j'avais repris mes habitudes sur ToietMoi.com, Steve et Francis s'étaient ajoutés à ma liste de contacts sur Facebook. De toute évidence, la partie superficielle de ma personne ne s'était pas gênée pour me rappeler que «Steve» était un prénom atrocement laid. Heureusement pour les poussières de rationalité qui sommeillaient quelque part en moi, je prenais un grand plaisir à discuter avec le mal baptisé. Ses opinions étaient arrêtées, sa façon de penser n'avait rien de formaté et son discours était tout sauf sclérosé.

Enfin un gars avec de la personnalité!

La même semaine, Francis s'est lui aussi taillé une place de choix sur l'échiquier cybernétique de ma vie sentimentale. Les discussions que nous avions devant la webcam me permettaient de découvrir un physique qui avait tout pour me plaire : grand, élancé, pas trop musclé, des yeux verts et pétillants, de longs cheveux bruns. Nous n'avions pas encore réussi à nous voir en trois dimensions, mais le jour où nos agendas allaient s'accorder, je serais comblé.

Malgré un léger désavantage sur son acte de naissance, Steve a été le premier que j'ai rencontré. Lorsque je l'ai vu arriver au restaurant l'Avenue sur Mont-Royal, mon dégoût pour son prénom n'a eu d'égal que les huit pouces qui nous séparaient.

Parce que, oui, j'ai tout à fait le droit de lever le nez sur les gars qui sont verticalement challengés…

Question d'agrémenter son physique désavantageux, Petit-Steve s'écoutait parler de tout et de rien… mais surtout de rien.

— Le service est lent.

— La décoration est laide à faire peur.

— Mon hamburger n'est pas assez chaud.

- Je parie un dix que la serveuse n'est pas au courant que ça fait partie de sa *job* de remplir nos verres d'eau.
- Regarde-moi bien faire un scandale pour que ça ne nous coûte rien en sortant.

Note à moi-même: ne jamais oublier l'importance du tact, du respect, de la conscience des autres et de cette chose que certains appellent l'équilibre mental, la prochaine fois que je demanderai un gars avec de la «personnalité».

Après le lunch, nous nous sommes dirigés vers la librairie de l'autre côté de la rue. Dès que je m'approchais du rayon où Steve se trouvait, monsieur-le-malengueulé s'éloignait.

Il m'évite, ce mec.

Son attitude ne méritait pas que je perde plus de temps. J'ai mis fin à notre rencontre après de brèves salutations. Le froid total.

De retour chez moi, j'ai rentabilisé le reste de ma journée en regardant trois des meilleurs films de célibataire de la dernière décennie.

- *Love Actually*, une comédie romantique britannique qui me faisait rire et pleurer.
- *L'Auberge espagnole*, une comédie française qui me donnait chaque fois envie de partir à l'étranger.
- Un montage des meilleures scènes de films avec Jude Law, récemment offert par la divine Clara, qui voulait se déculpabiliser de m'avoir abandonné dans les bas-fonds du célibat.

Également au menu: un sac de croustilles crème sure et oignon (pour avoir une haleine de cheval et faire comprendre à mes hormones que je n'allais pas frencher ce soir), un pot entier de crème glacée aux brisures de chocolat (pour me geler le cerveau et oublier pendant quelques minutes à quel point je me sentais seul) et un sac de M&M surets (pour perdre toute sensation sur ma langue, qui ne servait à rien d'autre qu'à manger de toute façon). J'étais avachi sur mon canapé dans une robe de chambre blanche et je m'empiffrais de cochonneries. Vers deux heures du matin, le mal de cœur m'a pris. Les bonbons ont commencé à rebondir sur les parois de mon estomac et les brisures de chocolat faisaient du kick-boxing dans mon ventre.

Vite, la salle de bain!

Course infernale vers les toilettes jusqu'à ce que…

SPLASSHHHHH!

Le contenu de ma soirée s'est répandu dans la toilette.

Assis sur la cuvette, j'imaginais mon corps étendu sur une civière, entouré d'ambulanciers qui se chargeaient de constater mon décès.

Nom de la victime : Émile Leclair.

Heure du décès : 5 h 34.

Cause du décès : excès de sucre, étouffement et haleine laissant supposer un empoisonnement alimentaire avec de la nourriture périmée.

::

Selon certaines études (lire ici : une recherche de deux minutes sur Wikipédia), le corps humain comprendrait plus de six cent quarante muscles. À mon réveil, j'ai confirmé cette statistique en entendant la voix d'au moins six cent quarante entités me crier des insultes. Afin de me remettre sur pieds, j'ai cru qu'un détour vers le gym était la meilleure solution.

On appelle ça de l'autodestruction à petites doses…

Je me suis dirigé vers le métro Beaubien, habillé d'un vieux t-shirt et du premier jean sur lequel j'avais mis la main. Adossé à la porte d'un wagon qui roulait vers le centre-ville, je comparais mon accoutrement à ceux des gens autour de moi, lorsque Francis est apparu dans mon champ de vision. Quand les portes du métro se sont ouvertes à la station Berri-UQAM, je me suis précipité vers la sortie en m'assurant qu'il me dépasse. Aucun regard dans ma direction.

Merde!

J'essayais d'accélérer pour le rattraper, mais les tortues urbaines qui me devançaient s'étaient donné le mot pour me ralentir. Une fois rendu à l'espace central du métro, je me suis dirigé vers lui en voyant un sourire gêné se dessiner sur son visage.

— Je pensais pas qu'on se rencontrerait comme ça la première fois…

— Moi non plus, dit-il d'une voix peu assurée. J'attends des amis, on va magasiner au centre-ville.

— Cool. Je m'en vais torturer mes muscles sur des machines.

— Ah oui? Je savais pas que t'allais au gym.

— Je me paye seulement un entraînement quand j'ai besoin de bouger un peu. Ça m'arrive rarement… Si tu as le temps cette semaine, on devrait aller prendre un café.

— T'as raison… On s'écrira pour planifier ça, lança-t-il avant de rejoindre ses amis qui venaient d'arriver.

Notre échange avait été d'une banalité sans nom, mais le rencontrer suffisait pour me faire sourire. Je marchais d'un pas léger vers un des quarante-deux gyms du Village en réalisant que ma relation avec le sport était limite bipolaire. Selon mes humeurs, j'en ressortais complètement énergisé ou totalement démoralisé. Si j'avais le malheur d'être fatigué — donc vulnérable —, je faisais la gaffe de me comparer aux gros musclés. Je savais pertinemment que pour être aussi gonflés, ces hommes s'entraînaient cinq ou six fois par semaine, qu'ils buvaient des *shakes* de protéines dégoûtants et qu'ils ne parlaient généralement de rien d'autre que de calories et de fibres musculaires, mais je finissais toujours par me sentir complexé. Chaque fois que je les voyais déambuler dans leurs t-shirts moulants, j'avais l'impression d'être un extraterrestre qu'on avait abandonné sur la mauvaise planète. Mes 165 livres et mes six pieds deux pouces n'arrivaient pas à rivaliser avec ces petits trapus qui m'entouraient. Lorsque j'allais m'étendre sur le *bench press* pour donner envie à mes pectoraux de venir au monde, je m'imaginais chaque fois échapper la barre, qui me casserait les dents et me broierait l'œsophage.

Drama queen, je sais.

À l'aide de mes amis les miroirs, je voyais les hommes discuter, rigoler, flirter et, bien sûr, se juger. Je finissais généralement par associer les bruits d'efforts de mes voisins à une série de possibilités :

- Ils grognaient pour me faire comprendre à quel point j'étais moins fort qu'eux.
- Ils reproduisaient l'univers sonore auquel j'aurais droit si je finissais dans leur lit.
- Ils me donnaient l'impression que j'étais invité dans leur salle de bain…

Quand l'envie me prenait d'aller sur un tapis pour faire comprendre à mes abdominaux que le reste de mon corps avait bien hâte de les connaître, je constatais que les répétitions de mes acolytes de l'acide lactique étaient bien plus nombreuses que les miennes. Je me dirigeais ensuite vers l'étape laborieuse du cardio. Étant donné que le tapis roulant était trop court pour mes longues foulées, que le vélo stationnaire était une aberration, que le *stair master* avait été inventé par l'armée et que le rameur me donnait envie de pleurer, je me rabattais chaque fois sur l'elliptique. Vu que je n'avais jamais été assez stable pour faire du ski de fond, l'idée d'en reproduire les mouvements sur une structure solide avait tout pour me rassurer. Je programmais vingt minutes, une résistance en mode aléatoire qui changeait toutes les trente secondes et j'inscrivais mon poids le plus discrètement possible afin de connaître le nombre de calories dont j'allais être débarrassé. J'empoignais les manches de la machine en tentant de faire abstraction des germes abandonnés par mes prédécesseurs et je laissais mon corps en entier suffoquer.

Cet après-midi-là, devant un miroir du vestiaire, j'ai vu mes espoirs d'aller prendre un café avec Francis s'évaporer d'un coup : des yeux rougis, une tignasse ébouriffée, une barbe de quatre jours et le teint malade, j'avais l'air d'un monstre en phase terminale.

C'est clair qu'en me rencontrant, il s'est juré de ne jamais me revoir...

Plutôt que d'aller perdre le peu d'amour-propre qu'il me restait, en retournant sous les néons du gym, je suis rentré me coucher en petite boule.

::

Nous étions arrivés sans trop savoir à quoi nous attendre, visiblement gênés de nous rencontrer ainsi. Nous avancions en essayant de ne pas heurter la tête des hommes et des femmes qui osaient la même aventure. Une fois assis à notre table, nous avons tendu la main pour évaluer la distance qui nous séparait. Je savais qui m'accompagnait. Je connaissais son prénom. Les traits de son visage m'étaient familiers. Je lui avais même parlé pendant des heures avant de le rencontrer. Mais, je n'étais pas du tout préparé à ce qui était en train de m'arriver. Quand Francis m'avait écrit pour remplacer le café par un souper au restaurant Ô Noir, mon cœur avait fait trois tours. Maintenant qu'il se trouvait à mes côtés, j'entendais mes pulsations cardiaques résonner dans ma cage thoracique.

— Je suis sûr que je vais réussir à me rentrer une fourchette dans l'œil, rigolai-je en recevant une assiette dont j'ignorais tout du contenu.

— Moi, j'ai peur d'avaler quelque chose de vraiment bizarre sans le savoir.

Les épices et les textures des aliments nous semblaient moins claires qu'à l'habitude, un peu comme si les informations visuelles dont nos cerveaux étaient privés nous empêchaient de goûter parfaitement ce que nous mangions.

— Je pense que c'est du risotto. On dirait qu'il y a du rhum et des poires dedans.

— Et beaucoup, beaucoup de beurre !

L'obscurité nous poussait à sentir, écouter, ralentir nos gestes et fournissait à nos discussions une impression de transparence et d'intimité.

— Mon père m'avait parlé du resto, glissa Francis. Il disait que la bouffe n'était pas si géniale, mais que l'expérience dans le noir valait vraiment la peine.

— Il vit à Montréal ?

— Non. En fait, il est décédé l'année dernière.

— Oh, je suis désolé. Moi aussi… Je… Mon père est mort il y a cinq ans.

Deux gais orphelins de père, bonjour les clichés !

Lorsque le serveur nous a avisés que nous étions les derniers clients du restaurant, Francis et moi avons regagné l'entrée de l'établissement pour payer. Après une ou deux minutes à réapprivoiser la lumière, nous nous sommes dirigés vers le métro. Fort galant, Francis m'a accompagné sur le quai d'embarquement pour me dire au revoir.

To kiss or not to kiss ?

En imaginant l'embrasser, ma respiration a cessé de coopérer, mes mains se sont mises à trembler, les secondes ont filé et mon métro est arrivé.

— Merci pour la soirée !

Les portes se sont refermées sur mon mes angoisses soulagées. Les écouteurs vissés sur les oreilles, j'écoutais les paroles d'une chanson de Frank Sinatra qui valsait avec ma tête et mon cœur. *For once in my life*, une rencontre avait été belle et simple du début à la fin.

::

J'avançais sur les rythmes fous qui jouaient dans mon iPod, le sourire aux lèvres et la confiance dans l'âme. Je me sentais bien. Je me sentais beau. J'étais fin prêt pour faire tomber Francis sous mon charme. La veille, je lui avais proposé de faire la cuisine pour notre deuxième soirée.

— Allez, ça va être drôle ! On va acheter les trucs ensemble et cuisiner une grosse bouffe après.

— Hum, je suis pas vraiment bon pour faire à manger.

— Moi non plus, c'est ça qui va être comique !

Les seuls talents dont je disposais pour préparer un souper se résumaient à peler des pommes de terre, équeuter des crevettes, couper des légumes, faire la conversation, choisir une ambiance musicale de circonstances et raconter n'importe quoi pour divertir celui à qui revenait la tâche de tout diriger.

— Tout est une question d'attitude. Dis-toi qu'au lieu d'avoir peur de se couper un doigt parce qu'on est au restaurant dans le noir, on va se demander s'il faut appeler le Centre antipoison parce qu'on s'est trompés d'ingrédients !

— C'est bizarre, y a comme une voix dans ma tête qui me dit : « Francis, va pas là. Danger ! Danger ! Danger ! »

— Donc, c'est oui ?

À travers les bruits de neige qui crissait sous mes pieds, j'entendais Francis rigoler en me voyant courir vers l'épicerie.

— J'ai les mains gelées, Francis ! Si on n'arrive pas dans deux minutes, va falloir m'amputer !

En franchissant le hall d'entrée, Francis et moi avons réalisé que nous n'avions pas la moindre idée de ce que nous voulions cuisiner.

— T'inquiète, on va trouver quelque chose, dis-je en regardant autour de moi. Et quand je dis « on », je veux bien sûr dire que JE vais trouver une idée et que TU vas cuisiner.

— Eille! C'était pas ça l'entente. On était censés être deux poches qui se démènent ensemble…

— Ouais, bon, je comprends que t'as pu voir les choses de cette façon-là, mais… non.

— Est-ce qu'on t'a déjà dit qu'il faudrait t'enregistrer pour que tu puisses écouter tout ce que tu racontes dans une journée?

— Pas encore… mais j'adore le concept! Fais ça quand tu veux!

La quantité phénoménale de niaiseries que je disais démontrait à quel point je me sentais bien en sa présence.

Après avoir noté mentalement tous les ingrédients qu'il détestait (fruits de mer, cœurs d'artichaut, betteraves et thon en conserve), j'ai lancé trois options en ayant l'amabilité de le laisser choisir.

— Une lasagne trois fromages. Une fondue au fromage. Ou des nachos au poulet.

— Avec du fromage…

Francis est allé chercher un sac de croustilles de maïs, un pot de salsa douce et un sac de fromage râpé, pendant que je sélectionnais les poitrines de poulet.

— Compte pas sur moi pour couper la viande, lança-t-il en cherchant le rayon des olives. J'ai l'impression d'être un tueur quand je fais ça…

— Mauviette!

Chez Francis, j'ai concocté une sélection de chansons allant de *groovy* à *upbeat* afin d'agrémenter notre soirée.

— Émile, y a le poulet qui me regarde croche depuis tantôt. Viens t'en occuper…

Tout en m'acquittant de ma tâche avec grande minutie, j'ouvrais des discussions qui partaient dans toutes les directions.

— Est-ce que tu regardais *Les hauts et les bas de Sophie Paquin* dans le temps? Moi, je craquais chaque fois que Malik disait «Sôôôphie».

— Le Botox, penses-tu que ça peut partir avec les années? Je veux dire, si une actrice finit par comprendre que deux émotions, c'est pas assez pour jouer, est-ce qu'elle peut arrêter et recommencer à vieillir?

— Ceux qui disent que les réseaux sociaux empêchent les gens de se rencontrer savent juste pas comment s'en servir. Depuis que je t'ai devant moi, j'ai pas regardé mon cellulaire une fois, et mon existence virtuelle va probablement se remettre de mon absence…

Francis s'est battu pour ouvrir le pot de salsa, je lui ai enseigné la technique pour bien étendre le (surplus de) fromage, et nous nous sommes assis devant le hublot du four pour regarder la mozzarella se faire dorer. Étant donné que notre repas se résumait à mettre cinq ingrédients les uns par-dessus les autres, nous pouvions difficilement le rater. Au lieu de courir aux urgences pour soigner une intoxication alimentaire, nous avons échangé des sourires discrets en discutant de tout et de rien.

Plus tard en soirée, nous descendions les marches de la station Cadillac lorsque LA question est revenue me titiller.

Est-ce que je peux l'embrasser?

Selon les théories amoureuses de Clara, j'avais le droit d'embrasser un homme à la fin d'une deuxième *date*, de faire dodo collé à la troisième et de passer au stade supérieur la fois suivante. L'étape du premier baiser était donc tout indiquée.

Allez, t'es capable!

En moins de quinze secondes, le métro s'est amené, nos têtes se sont penchées, la joue de Francis j'ai frôlée et vers le wagon mon corps s'est dirigé. Bref, je n'ai rien vu passer.

::

Tous les dix me regardaient en attendant de voir si j'allais y arriver.

— Arrête de réfléchir, Émile, dit mon professeur de théâtre. Je ne veux pas que tu construises une émotion, je veux que tu la vives.

Le but de l'exercice : replonger dans une émotion du passé afin d'en créer de nouvelles. Je consacrais toute mon attention à la reproduction des effets physiques de la tristesse : énergie dirigée vers mon visage et mes oreilles, souffle coupé grâce à de légers soubresauts du diaphragme, pupille dilatée par la lumière que je laissais entrer en grande quantité.

— Tu es mécanique, Émile. Il faut que tu empêches ta tête de tout diriger.

— On dirait que mon souvenir est dans une bulle et que je peux pas y toucher…

— Tu penses à quoi ?

— Au jour où j'ai appris que mon père était mort…

Un malaise a plombé la classe. Seul mon professeur ne semblait pas troublé par ce que je venais d'avouer.

— Ton père est décédé de quelle façon ?

— Il s'est noyé.

— Et tu as pris le temps de vivre ton deuil après coup ?

— Je pense, oui… C'est pour ça que j'ai eu l'idée de passer par là pour l'exercice.

— Ça fait combien de temps que tu n'as pas pleuré en pensant à lui ?

Une éternité.

— Longtemps…

Quatre ans, trois mois et quatorze jours.

— Si ton corps a développé un mécanisme de défense pour éviter les émotions trop intenses, c'est peut-être pour ça que tu as de la difficulté à te laisser aller…

::

Je tentais de survivre à mon fantasme depuis mon arrivée. J'étais prêt à tout pour l'impressionner.

— *You have to learn how to let go, kiddo.*

Selon Bryan, la boxe était le meilleur moyen pour lâcher prise. Pieds à la largeur des épaules, genoux légèrement fléchis, poings vis-à-vis des yeux et près du visage, mon collègue-entraîneur m'enseignait les rudiments du crochet, du direct et de l'uppercut, en ne manquant pas de remarquer que je perdais mon équilibre une fois sur deux.

— Quand tu donnes des coups, tu te sers seulement de ton bras. C'est pas bon. *You have to use all your body when you move,* dit-il en mettant sa main sur mon flanc pour simuler le mouvement de la partie supérieure de mon corps.

Ben oui, touche-moi encore une fois pour voir si j'arrive à me concentrer…

— Il faut que tu sois précis avant d'être puissant.

Après quelques essais et erreurs, j'ai fini par enligner une douzaine de coups sans perdre pied.

— *Don't try to be good. Just hit me!*

Je visais les gants de Bryan avec un mélange de colère et de tristesse. Je frappais, je criais, je grognais, je cherchais ma salive, je courais après mon souffle et je laissais sortir une quantité de sons dont j'ignorais l'existence jusque-là.

Essoufflé, suintant, les jointures meurtries et l'orgueil en jachère, je suis retourné de peine et de misère au vestiaire. J'ai volontairement tourné le dos à Bryan au moment d'aller sous la douche pour éviter de le voir se dénuder. L'humiliation d'une érection indésirable ne faisait pas partie de mes plans pour la soirée.

::

Quelque chose de beau se développait entre Francis et moi. J'ignorais ce que c'était, mais c'était là, bel et bien présent. Je refusais toutes les propositions virtuelles qu'on me faisait pour me concentrer sur mon lien affectif non identifié. Francis venait d'ailleurs de m'inviter à rencontrer son meilleur ami, Kévin. Même si l'idée de franchir l'étape du jugement amical me rendait nerveux, je me suis convaincu de charmer ledit ami en usant de mon pouvoir de séduction naissant, de ma vivacité d'esprit débordante et de mon humeur joviale.

Je les voyais arriver à l'entrée du métro Guy-Concordia.

— Salut vous deux!

— *Holà muchacho*, répondit Francis en me donnant deux becs sur les joues.

— Alors jeune homme, dis-je à l'intention de Kévin, prêt à jouer les chaperons?

À la seconde où j'ai vu sa petite face de blondinet me dévisager, j'ai su que j'allais devoir travailler très fort pour être dans ses bonnes grâces.

— Ça dépend de ce que t'entends par chaperon...

— Ben... quelque chose comme protéger la vertu de ton ami.

— Avec la quantité de mecs en chaleur qu'on croise dans les clubs, ça m'étonnerait que tu l'intimides, intervint Francis pour clore la discussion.

L'attitude de Kévin n'était pas particulièrement agréable, mais les craintes que j'avais à son égard ont vite disparu. À force de l'observer, j'ai réalisé qu'il avait autant de *sex-appeal* qu'un poteau de téléphone: des tempes rasées en zigzags, un anneau style *Beverly Hills 90210* dans l'oreille gauche, un manteau jaune qui lui donnait l'air d'un citron rabougri et un *skinny* qui offrait ses jambes de perdrix anorexique en spectacle. Néanmoins, son regard désapprobateur me suivait partout. Chaque fois que j'espérais embrasser Francis en toute intimité, je tombais sur les yeux de Kévin qui me criaient des bêtises.

À la guerre comme à la guerre!

Afin d'endormir la vigilance de mon meilleur ennemi, je faisais preuve d'une générosité continuelle, j'affichais une mine décontractée que rien ne pouvait perturber et j'étais tout ce qu'il y a de plus adorable.

Limite machiavélique.

Je lançais des regards à Francis pour qu'il comprenne ce qui me passait par la tête. Je frôlais ses flancs en le contournant dans une boutique de vêtements. J'effleurais ses doigts en lui tendant les écouteurs d'un poste d'écoute. J'ai même osé la méthode directe en voyant Kévin s'enfermer dans une cabine d'essayage pour enfiler un pantalon. J'ai doucement agrippé le manteau de Francis pour l'attirer vers moi.

— Arrête, dit-il en riant. Il va nous voir.

— Je m'en fous.

Une trentaine de secondes après notre premier baiser, nos sourires complices ont croisé le regard de Kévin ; il comprenait très bien ce qu'il venait de se passer, mais il ne pourrait rien dire, faute d'avoir vu quoi que ce soit.

Avoir su que c'était aussi excitant de prendre les devants, j'aurais commencé il y a longtemps !

En route vers la station McGill, Francis a déposé un paquet dans mon sac et placé son doigt devant sa bouche pour que je reste discret. Incapable d'attendre plus longtemps avant de savoir de quoi il s'agissait, j'ai fouillé dans mes affaires pour y trouver des gants d'hiver.

— Ça t'apprendra à dire qu'il va falloir t'amputer les mains tellement t'es gelé, glissa Francis à mon oreille.

Son cadeau avait tout pour me faire craquer. Francis prenait soin de moi, à sa façon.

Sentiment agréable que voilà.

Deux minutes après notre arrivée chez Francis, le tâcheron de service est allé s'étendre dans une chambre en prétextant que notre journée l'avait épuisé.

J'avoue que ça doit demander beaucoup d'énergie être toi...

Des tortellinis cuisaient, la sauce à spaghetti dégelait, et nous en avons profité pour échanger un bisou par-ci et un baiser par-là. Je me retenais pour ne pas dire à Francis à quel point son ami m'était antipathique.

Au bout d'un moment, l'odeur qui flottait dans l'appartement a convaincu Petite-Chose-faible-et-malade de nous rejoindre dans la cuisine. En sa présence, la complicité qui m'unissait à Francis est allée faire une sieste et le souper s'est bouclé en moins d'une demi-heure.

— Est-ce que ça vous tente de regarder un film? proposai-je en espérant détendre l'atmosphère. J'ai vu que t'avais *Stepmom* dans tes DVD. Ça pourrait être chouette.

— C'est tellement un film de filles… dit Kévin, visiblement déterminé à ne pas se faire aimer.

— Ouin, il paraît. Mais tsé, moi, m'empêcher de regarder un film à cause de ce que le monde raconte, c'est pas trop mon genre.

— Ça me tente, moi, lança Francis pour clore le débat.

Au salon, je me suis assuré d'être le premier à m'asseoir sur la causeuse, en sachant pertinemment que Kévin ne viendrait jamais s'installer à mes côtés et qu'il écoperait d'une des quatre chaises droites de la salle à manger.

Dans tes dents, minus.

Malgré la fébrilité qui m'envahissait (être assis-évaché à trois centimètres d'un prospect était tout de même une première pour moi), j'ai réussi à me concentrer sur la joute que se livraient Julia Roberts et Susan Sarandon pendant la première moitié du film. Au bout d'une heure, Kévin est allé se chercher des jujubes au dépanneur. J'en ai profité pour attirer la bouche de Francis vers la mienne.

Dieu qu'il sent bon.

Un quart d'heure plus tard, le profil du meilleur ami est réapparu dans notre champ de vision. Il restait là sans rien dire, surpris de nous retrouver collés l'un à l'autre, avant de retourner s'asseoir sur sa chaise.

END OF THE MOVIE

Minuit approchait et le métro allait bientôt fermer. J'essayais de rassembler mon courage pour demander à Francis si je pouvais passer la nuit chez lui, mais Tâcheron m'a devancé.

— Je dors dans ta chambre ou dans celle de ta coloc?

— Dans la mienne.

Lorsqu'il a quitté la pièce, j'ai décidé de jouer le tout pour le tout.

— Tu veux que je rentre chez moi ou…

— Je sais pas… tu… tu peux dormir dans la chambre de ma coloc si tu veux.

C'est mieux que rien…

— Parfait.

Je tournais en rond dans cette chambre pendant que Francis se brossait les dents dans la salle de bain. Je l'entendais fermer le robinet, se rincer la bouche, fermer la pharmacie, se diriger vers le couloir. Une fraction de seconde plus tard, les pentures de la porte derrière laquelle je me trouvais se sont mises à grincer.

— Est-ce que je peux dormir ici?

— Je pensais que tu le demanderais jamais…

Sans me quitter du regard, Francis a retiré ses vêtements un à un. Seul son boxer gardait le fort. À mon tour, j'ai enlevé ma montre, mes chaussettes, mon pantalon, mon t-shirt et un lot de vieux complexes.

JE CA-PO-TE!

Même si nos rapprochements étaient accompagnés de maladresses (dents qui s'entrechoquent, avant-bras qui faiblissent, lèvres qui chatouillent), j'étais trop occupé à gérer mes frissons pour douter de mes capacités.

Je pense que je vais faire une crise cardiaque!

Afin de ne pas succomber à mes tremblements, j'ai eu l'idée d'intensifier chacune de mes manœuvres. Francis m'a fait comprendre, au bout de quelques minutes, que ce n'était peut-être pas la meilleure idée.

— Arrête, Émile… dit-il au bord de l'orgasme. On est dans le lit de ma coloc !

— Oh, merde !

— Sérieux, il faudrait essayer de dormir un peu…

Comment veux-tu que je dorme après ça ?

J'étais couché dans un lit, complètement nu, aux côtés d'un homme tout aussi nu, avec qui je venais de vivre ma première expérience sexuelle. Mes doigts s'empêchaient de parcourir le creux de son dos. Mes lèvres se retenaient d'embrasser sa joue. Tous les membres de mon corps rêvaient de se mouvoir au lieu de rester là sans rien faire. Mes émotions se mélangeaient sans se comprendre, passant d'un éclat de rire retenu à quelques instants de douce euphorie. Au bout d'une petite éternité, j'ai fini par succomber à la loi de Morphée.

Six heures plus tard, je me suis précipité devant le miroir de la salle de bain pour constater l'étendue des dégâts : la peau autour de ma bouche était enflée et j'avais les lèvres en feu.

Cette idée aussi d'embrasser pendant des heures un gars avec une p'tite barbe de trois jours !

Je me suis emparé d'un baume à lèvres et d'un petit pot de crème. Une fois ma tentative de reconstruction faciale terminée, je suis retourné dans la chambre, histoire de récupérer mes affaires. Je me suis penché à l'oreille de Francis, encore à moitié endormi, pour l'avertir de mon départ.

Les stations de métro défilaient sous mes yeux, pendant que je me remémorais toutes les « premières fois » des vingt-quatre dernières heures : premier film collé à un homme, premiers contacts sexuels, premier dodo en cuillères.

Intense, vous dites ?

::

— *Hey, kiddo! You had fun last night!* lança Bryan en mettant son index sur mon cou.

Soupir.

— *Man, I'm so proud of you! Your first hickie!*

— Mon premier quoi?

— Une sucette, expliqua Marcelle en faisant signe à Bryan de baisser le ton.

— *Did you… I mean… everything?*

— Non… mais quand même pas mal.

— Assez pour… ne plus être *virgin*?

— Pas complètement, non…

Plus mes collègues en parlaient, plus j'y repensais, et plus j'y repensais, plus je rougissais. J'avais la phrase «je viens d'avoir du sexe» étampée dans le front et je n'étais pas particulièrement pressé de l'effacer.

::

Désormais imperméable à l'Improvisateur, je retournais aux ateliers en ne pensant pratiquement plus à lui. Je n'étais presque pas jaloux quand je le voyais parler avec le Français.

Au programme aujourd'hui: un exercice d'improvisation théâtrale.

— En équipe de deux, je veux que vous inventiez une histoire autour d'un thème imposé, mais sans vous consulter, expliqua notre professeur. Ça va vous obliger à vous écouter et à rester ouvert aux propositions de l'autre.

Équipe 1

Thème: la bande dessinée

Le capitaine Haddock prenait un verre de whisky avec Lucky Luke en discutant de l'ambiguïté sexuelle de Tintin.

Totalement surréaliste!

Équipe 2
Thème : la monarchie
La reine Élisabeth racontait à sa servante pourquoi elle n'avait plus envie d'être souveraine en énumérant les éléments rébarbatifs de la royauté.
Convenu, mais divertissant.

Équipe 3 (l'Improvisateur et le Français)
Thème : l'intimité
L'Improvisateur s'approchait du Français en jouant la carte de la séduction, alors que celui-ci, mal à l'aise, lui expliquait son incapacité à partager son intimité avec qui que ce soit.
Bonheur suprême.

Équipe 4 (moi-même et l'enseignante-policière-toxicomane)
Thème : l'incapacité.
Ma collègue déballait tout ce que son mari fictif était incapable de faire depuis le début de leur relation. De mon côté, je ne savais volontairement pas quoi répondre.
— Tu dois vraiment penser que je suis conne d'être encore là...
Je restais assis sur une chaise, le visage stoïque, la regardant virevolter autour de moi comme une abeille.
— Ça fait six ans qu'on vit ensemble, pis ça fait six ans que j'ai l'impression d'être comme tout le monde.
Je fermais les yeux en inclinant la tête vers la gauche.
— Ça se peux-tu, dans ton petit monde, de t'intéresser à quelqu'un d'autre que toi ?
Je soupirais en concentrant mon attention sur la couture qui se défaisait dans le bas de mon t-shirt.
— Là, tu dois te dire que je fais encore une folle de moi, mais que ça va me passer, comme d'habitude... ajouta-t-elle en se plantant droit devant moi. Regarde-moi quand je te parle !

Je détournais le regard en m'assurant de lui faire sentir tout le mépris qui m'habitait. Lorsqu'elle a vu ma réaction, ma collègue s'est emparée de mon menton pour le ramener vers elle.

— C'est quoi? Je suis pas assez intéressante pour que tu me parles? Je sers juste à ça? dit-elle en m'embrassant à pleine bouche.

Je me suis levé d'un coup.

— Tu penses que tu fais quoi, là?

— J'attire ton attention! T'as pas encore compris que j'ai besoin de sentir que je vaux plus que les autres quand tu me regardes?

— La seule chose que tu veux, c'est qu'un gars te regarde avec les yeux pleins d'eau parce qu'il te trouve donc belle. Ben je veux pas être plate, mais ce sera jamais moi!

Ma collègue se tenait à quelques pieds de distance, pendant que le chaos se déployait dans mon ventre.

— Mais pourquoi c'est si compliqué pour toi?

Une larme coulait sur ma joue sans que je comprenne pourquoi.

— Qu'est-ce qu'il faut que je fasse pour que tu me regardes?

Mes oreilles surchauffaient, mes mains tremblaient et mes yeux n'arrivaient plus à contenir mes larmes.

— D'accord, merci... reprit notre professeur. L'exercice est terminé.

J'ai senti la main de ma collègue faire des ronds dans mon dos pour me consoler. Je n'arrêtais pas de pleurer. Tout mon corps était déréglé. J'étais allé trop loin. Je n'avais pas su doser.

— Excuse-moi... Je pense que j'avais besoin que ça sorte...

Ça, ma peine, cette petite boule de mort qui s'était incrustée dans mon ventre, cette impression de ne pas être assez intéressant ou important pour donner envie à mon père de remonter.

Malgré l'heure tardive, je n'ai pas pu m'empêcher de composer son numéro. La sonnerie s'était fait entendre six fois quand la *mamma* m'a répondu.

— Qu'est-ce qui se passe?

— Est-ce que papa était tanné de nous ?

Ma mère accusait le coup en silence.

— Penses-tu qu'il s'est suicidé ?

— Non…

Son ton me laissait entendre qu'elle avait déjà considéré cette possibilité.

— Alors pourquoi il n'est pas remonté ?

— Émile, ton père s'est pas tué… Il a fait une erreur en essayant de prouver qu'il pouvait rester plus longtemps que les autres.

— Je comprends pas…

— Moi non plus. Mais je sais qu'il s'est pas suicidé…

Deux heures plus tard, je me suis endormi, épuisé d'hypothèses et de larmes.

CHAPITRE 10

Après avoir vu Francis trois fois en presque deux semaines, il était grand temps que je fasse un *debriefing* avec Charles pour décanter ce qui venait de se passer.

Nous avions développé une aisance à toute épreuve à force de nous voir pour travailler mes scènes de théâtre. Je pouvais lui parler de tout ce qui se passait dans ma vie et je rêvais du jour où il aurait envie d'en faire autant. J'avais bien sûr accumulé certaines informations de surface au cours des derniers mois (sur ses aspirations professionnelles en tant que criminologue, sur la relation harmonieuse qu'il entretenait avec ses parents et sur un amour marquant dont il ne parlait à peu près jamais), mais je ne savais pratiquement rien d'autre sur lui.

Se sentir si proche d'un être aussi distant, étrange réalité.

Chaque fois que j'allais chez lui, un sentiment de réconfort m'envahissait. Décoré avec simplicité, son appartement du Plateau profitait du cachet d'une demi-douzaine de meubles hérités de son grand-papa, d'un piano dans son salon et d'une bibliothèque savamment remplie. Quand il m'invitait à souper, Charles ne se gênait pas pour me faire comprendre que la cuisine était son royaume et que j'y entrais à la condition de pouvoir le divertir avec mes histoires.

— Pis, comment s'est passée la journée avec ton Francis ?

Entre le moment où il a déposé une assiette de magret de canard devant moi et celui où il m'en a débarrassé, j'ai eu le temps de lui raconter ma journée-soirée-nuit en lui partageant un million de détails. Mon hôte a brusquement freiné mes élans de conteur de drague tout juste avant de servir le dessert.

— Je le rencontre quand?

Regard incrédule.

— Ben oui, Émile, comme dans «tu m'invites à souper et je m'amuse à rire de tes talents de cuisinier pour alléger l'atmosphère en rencontrant ton non-chum».

— Déjà?

— Comment ça, déjà? T'as déjà rencontré son meilleur ami. Je vois pas pourquoi ça le dérangerait de faire ma connaissance.

— Je sais pas... Je pense que j'ai peur que tu l'aimes pas.

— Comment ça?

— Quand je vois Francis, c'est toujours relax et super agréable, mais on n'a jamais de discussions sérieuses, comme on en a toi et moi. Vous avez pas vraiment les mêmes champs d'intérêt...

— Est-ce que tu t'amuses, avec lui?

— Oui, vraiment.

— Bon, alors arrête de t'inquiéter pour rien, pis arrange-nous quelque chose.

En rentrant chez moi, j'ai fait le point sur mes relations de la dernière année en repensant à toutes les rencontres masculines significatives que j'avais faites: Valéry-le-Baveux, Moyennement-Roux, Regard de Braise, Bryan l'hétéro, l'Improvisateur, Mister Théâtre, Charles. Cette rétrospective m'a rappelé l'article du magazine *Gay Life* qui m'avait tant secoué.

Aucun avenir relationnel à Montréal, le jeune!

J'avais fait la gaffe d'accorder un tant soit peu de crédibilité à une revue qui remplissait ses pages de photos d'hommes nus (musclés en érection, fétichistes du cuir en érection, sadomasochistes en érection…), de publicités de masseurs «largement» spécialisés et de petites annonces d'hommes désespérés.

Cinquante-deux semaines plus tard, ma «relation» avec Francis me prouvait que j'avais tout intérêt à ne plus jamais me fier à un magazine pour prévoir le cours de ma vie.

::

Centre-ville, jeudi soir, je marchais aux côtés de Francis et de Kévin sans participer à leur discussion. Depuis que je les avais rejoints, Laurel et Hardy ne parlaient que d'une chose : leur soirée du lendemain.

— On devrait rentrer chez toi vers neuf heures, récapitula Kévin. Je vais avoir du linge dans mon sac pour aller au Sky. Les autres pensaient arriver vers neuf heure et quart pour boire jusqu'à dix heures et demie. Après ça, on rejoint Annie au métro Papineau, et on sort jusqu'à deux heures du matin.

J'avançais sans regarder où nous allions, jusqu'à ce qu'un plafond de tubes fluorescents attire mon attention. Des étagères s'élevaient devant moi, je reconnaissais là une pharmacie, et mon esprit tentait de comprendre la scène à laquelle il assistait.

Francis est en train de s'acheter de l'eye-liner!

En voyant la surprise sur mon visage (lire ici : le jugement), Francis a tenté de me rassurer : le crayon ne servait qu'à mettre ses yeux en valeur lorsqu'il sortait dans les clubs. Malheureusement pour lui, l'idée de fréquenter un gars qui se maquille était pour moi inenvisageable. Dans ma tête (probablement engluée dans une mare de stéréotypes), le maquillage avait sa place uniquement dans le visage d'une femme ou d'un artiste en représentation.

Après ce bref détour dans le rayon des produits de beauté, Kévin nous a quittés pour la soirée. Francis et moi en avons profité pour filer chez moi. Aussitôt la porte d'entrée refermée, nous avons repris la partie de jambes en l'air interrompue la dernière fois. Afin de jouir pleinement du physique parfait de mon non-chum, j'ai fait appel à mes aptitudes pour le déni en reléguant l'histoire de l'eye-liner dans un coin obscur de mon esprit. La retenue m'avait déserté, les frissons se remettaient de la partie, les muscles se crispaient, les orteils se tordaient, nos respirations se chevauchaient et mon corps avait une envie suprême d'exprimer toute la plénitude du mot qu'il venait de m'apprendre : extase.

:::

Les griefs à mon endroit s'accumulaient. Clara et Charles plaidaient que le contrat amical qui me liait à eux impliquait une rencontre avec Francis dans les plus brefs délais. Puisque j'assumais l'idée de me faire bouder par mes deux amis montréalais, j'ai choisi de vivre ma première rencontre « amis/non-chum » avec Lilie. Afin de profiter du billet d'avion que je lui avais offert quelques mois plus tôt, mon ancienne voisine avait prévu un séjour de trois jours dans la métropole.

Le lendemain de son arrivée, nous avons rejoint Francis et Kévin au Café Kilo pour un souper. Lilie discutait avec eux comme si elle les avait toujours connus. Francis était souriant, un peu timide, mais foncièrement de bonne humeur, alors que Kévin m'apparaissait presque sympathique. Je les regardais faire connaissance en dévorant un sandwich B.Boys, des nachos, de la salade, un délicieux gâteau au fromage et le reste de crème glacée de mon non-chum.

Je mange tellement mes émotions…

Je mourais d'envie d'entendre ce que mon amie pensait de Francis. Lilie et moi avons fini par quitter les lieux. L'heure du verdict était enfin arrivée.

— Je l'ai trouvé vraiment correct, ton Francis. Il est drôle et mignon comme tout, mais c'est clair que tu passeras pas ta vie avec lui… Tes standards sont beaucoup trop élevés pour ça.

— J'ai quand même pas dix pages de critères !

— Mile, je te connais comme si je t'avais tricoté. T'as besoin d'un gars pas mal plus spécial.

— Pfff…

— C'est ça que je me disais…

::

Accroupi sous une chute, j'observais mon amie s'installer dans une section du bassin où plusieurs petits jets permettaient à son corps de flotter. Vingt minutes plus tôt, Lilie et moi avions écouté la dame à l'accueil du spa nous expliquer ce à quoi nous avions droit : massages, bain chaud, douche froide, sauna sec, sauna humide, bar à jus, aire de détente.

Je pense que j'ai trouvé ma place dans la vie…

Je ne désirais plus qu'une chose : rester là où j'étais pour l'éternité, voir chaque particule de ma peau ratatiner, apprendre à gérer ma respiration dans un sauna sec, arriver à survivre dans un sauna humide, faire des siestes en robe de chambre, boire de l'eau citronnée et oublier le reste de l'humanité.

À l'étape du sauna humide, je suis allé m'asseoir en essayant d'adapter ma vue au brouillard de vapeur. Lilie suintait le bien-être et la légèreté un peu plus loin. Je regardais les chiffres de l'horloge avec l'impression que les aiguilles se payaient ma tête en ralentissant. Dix minutes plus tard, ma tolérance en a eu assez. J'ai fait signe à ma collègue de transpiration que j'allais l'attendre près de l'entrée.

Lilie m'a rejoint dans la salle de repos et s'est s'installée sur un pouf à mes côtés. Sans faire de bruit, elle s'est approchée pour chuchoter à mon oreille :

— Je t'envie, tu sais…

— Comment ça ?

— Tu rencontres du nouveau monde, tu fais quelque chose de ta vie…

— Y a juste toi qui te retiens de bouger, cocotte.

— Je sais. Ça va changer.

La désinvolture du moment présent avait convaincu Lilie de laisser tomber sa garde pour un instant, mais ces quelques confidences étaient les seules auxquelles j'aurais droit. J'allais probablement être mis devant le fait accompli une fois qu'elle aurait tout décidé.

::

BANG! Un coup en pleine figure. Afin de riposter à l'affront de cette attaque-surprise, je me suis élancé sur lui de tout mon poids. En le voyant se réfugier dans un coin de mon lit, j'ai eu envie de le chatouiller à mort.

Mauvaise idée, très mauvaise idée!

Alors que j'approchais en essayant d'être subtil (gros échec…), Francis en a profité pour attaquer mes flancs et m'immobiliser sous ses jambes.

— Surprenant pour un gars de cinq pieds dix, décochai-je, le regard frondeur.

— Pfff, t'es tellement mal placé pour faire le comique.

— J'ai plus d'un tour dans mon sac, le jeune!

Avant de terminer ma phrase, ma main droite s'est faufilée vers son entrecuisse et mes dents ont mordillé sa lèvre inférieure pour qu'il gémisse. J'ai continué mon petit jeu en embrassant son cou et en titillant son plus grand point faible: le croquant de ses lobes d'oreille. Je l'ai torturé de stimuli, à mi-chemin entre le plaisir et la douleur, jusqu'à ce qu'il me supplie de prendre une pause.

Étendu sur le lit à ses côtés, j'ai laissé mon esprit divaguer jusqu'au souvenir de notre dernière soirée, trois jours plus tôt.

Nous avions fait un arrêt dans une pharmacie où il s'était acheté une brosse à dents bien plus lourde de sens que je ne l'aurais cru. LE cliché parmi les clichés.

— Je vais la laisser chez toi juste pour que ce soit pratique, avait-il précisé. Mais ça veut rien dire relationnellement parlant.

— OK, Francis, je vais essayer de ne pas me sentir trahi par la nouvelle relation que tu entretiens avec ta brosse à dents, avais-je répondu en essayant de garder mon sérieux.

Sur le coup, son achat m'était apparu comme une gentille attention afin de ne pas puer de la bouche en m'embrassant cinq heures par jour. Mais plus j'y pensais, plus la situation me tracassait. La bonne humeur qui régnait depuis notre bataille me semblait tout indiquée pour crever l'abcès.

— Tu vas me dire que c'est n'importe quoi, mais je pense encore à l'histoire de ta brosse à dents…

— Ouin, c'était pas mal niaiseux, mon affaire…

Francis évitait mon regard.

— Es-tu mal à l'aise de penser que ça pourrait devenir sérieux entre nous?

— Je sais pas, peut-être… Toi, tu veux quoi?

— Je pense que j'aimerais ça dire qu'on est un couple, avec les mots pis toute la patente. Mais je suis pas convaincu qu'on soit deux à vouloir ça.

— Ben… Je me sens bien avec toi… et je t'apprécie vraiment beaucoup… mais on dirait que je m'ennuie pas quand je te vois pas…

À cet instant précis, je rêvais de me transformer en masse inerte dénuée de toute forme de considération, laissée seule dans un coin, sans que personne ne vienne me demander pourquoi j'avais encore eu de l'espoir. Couché près de moi, Francis fixait le plafond en bouffant tout mon air.

Si tu penses que je vais te laisser dormir dans mon lit après ça!

Sans attendre une seconde de plus, j'ai appelé un taxi et j'ai fait signe à Francis de s'habiller.

— Va-t'en!

— Ben là, Émile, prends pas ça de même! On peut continuer d'avoir du *fun*, même si on n'est pas un couple.

— Regarde-moi ben : est-ce que j'ai l'air d'un gars qui veut te voir juste une fois par semaine pour jouer dans tes culottes?

Francis a rassemblé ses choses sans prendre la peine de répliquer, il s'est habillé dans le couloir et il est parti la queue entre les jambes.

Je me trouvais pathétique. Et drôle. J'étais drôlement pathétique. Je m'esclaffais de l'intérieur. La blague dans laquelle s'était vautrée ma vie me faisait pleurer de rire.

Non, Émile, tu ne pleures pas, tu transpires des yeux. Nouvelle mode.

::

Mon cellulaire vibrait sans arrêt. Je refusais de regarder qui appelait. J'étais trop occupé à pratiquer ma nouvelle passion : cultiver le vide.

Un moine tibétain et moi : même combat.

Quand j'ai voulu fermer mon téléphone, j'ai vu que Charles tentait de m'appeler. Une petite voix m'a suggéré de répondre.

— Émile?

L'inquiétude dans sa voix était palpable.

— Pourquoi tu répondais pas? Ça fait trois jours que je t'appelle.

— Pour rien… Écoute, j'allais faire une sieste. Je pense qu'on devrait se parler une autre fois…

— Penses-y même pas! J'arrive chez toi dans vingt-cinq minutes. Si je te retrouve dans ton lit, je te transporte moi-même sous la douche pour te réveiller.

— Charles, ça vaut pas la peine que tu te déplaces. Je vais très bien.

— Ouais, c'est ça…

Une demi-heure plus tard, mon ami tirait mon bras pour que je sorte de l'appartement.

— Oui, oui, j'arrive… Pas besoin de me disloquer l'épaule.

— Excuse-moi, mais un gars qui se cache dans son lit depuis trois jours me donne l'impression de manquer de jugement… Alors, si ça te dérange pas trop, je vais m'occuper de prendre les décisions pour les prochaines heures.

— J'avais seulement besoin d'être tout seul… C'est pas illégal, à ce que je sache?

Charles ne semblait nullement impressionné par mon air d'adolescent courroucé.

— Qu'est-ce qui se passe?

— Rien. T'auras juste plus le bonheur d'appeler Francis mon «non-chum». Il m'a dit qu'il ressentait rien pour moi…

— Peut-être qu'il a besoin de temps pour développer des sentiments. J'ai une amie qui a fréquenté une fille pendant trois mois avant de tomber en amour avec elle.

— Ça me tente même pas d'espérer… Tsé, j'ai vécu toutes mes premières fois avec lui, pis on n'a même pas duré deux mois. J'étais convaincu que ça pouvait marcher.

Charles me regardait avec sa face de «je ne sais pas si c'est une bonne chose que je te dise ça… mais depuis quand je me censure, de toute façon?»

— OK… Là, il serait peut-être temps que t'arrêtes de te raconter des histoires. Je le sais que t'es déçu, mais fais-moi pas croire que t'étais amoureux de lui.

— Pfff, pourquoi tu dis ça?

Ado outré prise deux.

— Parce que tu serais dix fois plus intense si t'étais vraiment en amour.

— Bon, une autre affaire! Si j'étais pas célibataire depuis vingt ans, je saurais peut-être ce que c'est...

— Tu fais presque pitié.

— Je le sais! Je pensais justement m'enfermer dans un monastère en Gaspésie pour cuver ma peine.

— N'importe quoi...

— Non, sérieusement, j'ai prévu retourner chez ma mère quelques jours. J'ai besoin de me reposer. Tu pourrais venir avec moi, si ça te tente... Ça ferait du bien à ton petit côté bétonneux.

— Je pars en Europe dans deux semaines. J'ai pas les sous pour faire deux voyages cette année.

— Tu devrais te louer un film français au lieu d'aller là-bas. Ça te coûterait tellement moins cher...

Charles me regardait en se demandant s'il avait pris la bonne décision en me sortant du lit.

— T'es conscient que, le jour où tu vas mourir, les scientifiques vont devoir disséquer ton cerveau pour comprendre comment ça fonctionne là-dedans, *right*?

— C'est correct. J'ai toujours su que j'étais né pour faire avancer la science, conclus-je avec un clin d'œil.

::

Un peu moins d'une semaine plus tard, une étrange impression s'est faufilée entre les craques de mon cerveau.

Je n'arrivais plus à comprendre les raisons de ma déprime passagère.

Un peu comme si tout ce qui s'était passé avec Francis n'avait jamais existé.

Quelque chose d'incroyable était en train de se passer.

Un début d'idée avait germé.

Un bourgeon d'impression grossissait chaque fois que j'essayais de l'oublier.

Parce que c'était impossible.

Parce que ça ne pouvait pas être ÇA.

Pas après tout ce que je venais de vivre.

Pas maintenant.

Cette vérité inavouable traînait quelque part dans ma cage thoracique.

Dans cet amas d'artères et de ventricules emmêlés.

Mon petit cœur venait de se faire renverser par la réalité.

J'avais besoin de lui, de sa présence, de son écoute, de ses humeurs, de son intelligence, de sa culture, de sa façon d'être lui-même sans chercher à plaire aux autres, de cette espèce de je-m'en-foutisme qui le suivait partout où il allait. Ce que j'avais ressenti pour Francis n'était qu'un début d'affection, alors que mes sentiments pour lui me remuaient complètement.

::

Au moment de gravir l'escalier qui me séparait de son appartement, j'ai senti mon niveau de stress battre de nouveaux records. Je suis entré en signifiant mon arrivée d'un bref bonjour et je me suis précipité devant son ordinateur pour sélectionner une dizaine de chansons d'amour, tel un véritable compulsif de la déclaration.

Nous restions là — **Pierre Lapointe**
J'ai fait cet étrange rêve
Où nous étions tous deux
Insouciants et reclus
Sur nos deux corps presque nus
Étouffés par la lumière
Les yeux crevés par des éclats de verre
Nous restions là

Les petits riens — **Jean-François Breau**
J'ai besoin de toi
Je ne le dis jamais, alors, là, je te le dis
T'es mon calme à moi
Mon île déserte de sable chaud et de fruits

Aujourd'hui, laissons le temps faire ce qu'il sait si bien faire,
passer
Aujourd'hui, laissons les petits riens du quotidien nous bercer
Nous caresser

Je veux tout — **Ariane Moffatt**
Je veux tout, le silence et les promesses,
Le rigide et la souplesse.
Je veux tout, l'anarchie et la sagesse,
Ton sourire et puis tes fesses.
Je veux tout, toi et tous tes amis,
Pour tracer mes jours et mes nuits.
Sur les cœurs, il n'y a pas de prix,
Je veux tout, tout de suite et ici.

J'veux bien t'aimer — **Lynda Lemay**
J'veux bien t'aimer, bien entendu
De toute façon, est-ce que j'ai le choix
Je suis piégée, Je suis perdue
Je tourne en rond, Je t'aime déjà

Même si je sens que je m'éreinte
À te chercher les bras tendus
Dans cet effrayant labyrinthe
Trop compliqué et trop tordu

À la fin de *Tu es mon autre*, Charles est venu me rejoindre. J'avais la trouille de ma vie.

— Pourquoi tu viens pas dans la cuisine ?

— J'avais besoin d'écouter un peu de musique, dis-je en souriant faussement. Je te raconterai tantôt...

La déclaration d'amour coincée dans ma gorge allait m'étouffer d'un instant à l'autre.

Un peu plus tard en soirée, mon hôte a eu la bonne idée de parler de mon avenir amoureux.

Mon karma se paie ma gueule...

— Tu penses faire quoi maintenant que Francis n'est plus dans le portrait ?

— Je sais pas... mentis-je trop rapidement. Je suis pas dans le *mood* pour penser à ça... Et toi, monsieur l'éternel célibataire, quelqu'un en vue ?

Je rassemblais tous mes efforts pour arriver à contenir le mélange d'anticipation, d'angoisse et d'espoir qui s'emparait de mes expressions faciales.

— Bah, pas vraiment... Mon envie d'être en couple est pratiquement nulle ces temps-ci.

J'ai avalé ma déclaration en la sentant écorcher chaque millimètre de mon gosier.

— On est dans le même bateau alors... Bon, c'est pas que je veux être plate, mais je vais devoir rentrer. Je suis fatigué.

— T'avais pas quelque chose à me raconter tantôt ?

— Oh, non... rien d'important.

Malaise. Malaise. Malaise.

::

Charles était partout : sur mes photos, dans mes pensées, dans mes souvenirs. Partout. J'étais confiné à voir défiler une succession de clichés d'amours impossibles pour le reste de ma vie. Sauf si je me vidais le cœur. Sauf si je risquais tout. Sauf si je trouvais le moyen de lui parler avant son départ pour Paris.

Il préparait son voyage de dix jours dans la Ville lumière avec un enthousiasme qui n'avait rien pour m'emballer. Je mourais d'envie de tout lui avouer. J'ignorais si mes sentiments risquaient de gâcher ses vacances ou s'il était préférable d'attendre son retour avant de me révéler. Après une succession de nuits blanches à imaginer toutes sortes de scénarios, j'ai choisi de patienter. Je préférais me dévoiler en ayant le temps d'en discuter avec lui. Le décompte était interminable.

En son absence, ma vie me semblait étrangement moins logique et moins stable. Charles avait ce don de me ramener sur terre et de me faire voir plus clair. Depuis que je le savais ailleurs, je n'avais plus envie d'observer la ville à travers ma lentille. La source de mes angoisses m'empêchait aujourd'hui de profiter du seul moyen que j'avais trouvé pour me calmer depuis des d'années.

Si la photo ne fonctionne pas, essaie de t'abrutir le cerveau autrement. T'as sûrement des idées :

- Regarder la trilogie du *Seigneur des anneaux*, version allongée, avec suppléments.
- Faire un marathon de la série *24* en me demandant chaque fois si Jack Bauer va mourir.
- Développer une passion pour la Grèce antique, question de ne pas avoir assez de dix jours pour faire le tour.

C'est peut-être ben beau Paris, la tour Eiffel, le Louvre, les croissants, pis les cafés allongés, mais il va falloir qu'il en revienne à un moment donné !

La simple idée d'appeler les femmes de ma vie ne m'intéressait même plus. J'étais incapable d'imaginer nos dialogues ressembler à autre chose qu'à du gros n'importe quoi :

« Salut, ça va? Pis, depuis la dernière fois qu'on s'est parlé, as-tu inventé une machine à avancer le temps? Quelque chose pour prédire l'avenir? Non? Rien? OK, ben... bye. »

Pour la deuxième fois de ma vie, j'attendais le retour d'un homme en me consumant de l'intérieur.

Maudit pattern de l'inaccessible étoile!

Après plus de deux cent quarante heures à essayer d'empêcher Charles de s'infiltrer dans tous les recoins de mon esprit, le jour J est enfin arrivé. Quand je l'ai vu se connecter sur Facebook le lendemain de son retour, je me suis lancé sur lui comme un chien sur un os, incapable d'attendre plus longtemps.

Sans la moindre pudeur, j'ai exprimé tout ce que j'avais sur le cœur avec une concision et une clarté qui me manquaient depuis des semaines. Les mots se succédaient sur mon écran en battant des records de vitesse.

Quinze secondes après mon élan spontané, la réponse de Charles est venue confirmer la triste probabilité que je redoutais.

— Émile, je n'ai pas d'amour pour toi, je suis désolé... Je peux seulement t'offrir mon amitié.

J'assimilais son verdict sans cri ni fracas. Moi, Émile Leclair, romantique devant l'éternel, je venais de faire ma première déclaration d'amour par les voies divines d'Internet.

Après le Post-it, c'est probablement le moyen le plus poche que je pouvais trouver.

Extrait de la pièce de théâtre *Les sept jours de Simon Labrosse*:

« ... j'ai un petit *side line*. C'est quelque chose que je fais, l'après-midi. Je vais chez les gens. Chez vous, par exemple. Je m'assois dans un coin, je respire, je fais du bruit avec mes dents, je parle des cheveux qui poussent, du froid qu'il fait, des événements, de la petite douleur que j'ai sur le côté, du temps que ça prend pour oublier, je chantonne les succès du palmarès en regardant mes pieds, je tousse, je me gratte avec intensité, je ris énormément. Je reste là, jusqu'au souper, si vous voulez. Je suis très intéressant. Vous allez me dire, on a déjà la télé pour ça. Mais moi, je suis *live*... Je veux dire, je suis vivant. Et je coûte presque rien. Pensez-y. J'ai laissé ma carte à la sortie. Simon Labrosse, remplisseur de vide. »

Un jour, est-ce que je vais finir par exister ?
Je m'étais posé cette question pour la première fois à cinq ans et demi. Dans la voiture avec mes parents, j'avais imaginé les circonstances d'un accident dont j'étais la seule victime. Le visage neutre, calme et plein de compassion, un ambulancier regardait mes parents en hochant la tête de gauche à droite pour leur signifier qu'il n'y avait plus rien à faire. Mon père et ma mère restaient près de la civière, incapables d'accepter ce que la vie tentait de leur faire avaler : leur petit garçon venait d'être emporté. Ils se soutenaient, ne sachant pas comment vivre cette tragédie. La scène ressemblait aux quelques accidents que j'avais vus à la télévision.

Au salon funéraire, j'observais mes grands-parents, mes voisins et les amis. Je les entendais échanger quelques banalités sur la mort qui m'avait fauché trop jeune. Je voyais petite Lilie, agenouillée devant mon cercueil, le visage placide, incapable d'exprimer le grondement qui troublait son corps tout entier. Je les examinais tous avec attention. J'essayais d'identifier ceux qui avaient le plus de peine, ceux qui se souciaient de ma disparition et ceux qui allaient s'en remettre le plus rapidement.

À l'adolescence, mes scénarios avaient pris des allures de suicides : surdose de médicaments, asphyxie au gaz dans un garage, corde bien ficelée au-dessus de mon lit. Malgré la récurrence de mes idées noires, je ne m'étais jamais perçu comme un être torturé. Je passais le plus clair de mon temps dans ma tête, le nez dans un livre ou les yeux derrière mon appareil photo. Toujours cette distance entre moi et le reste du monde. Je rêvais à la fois d'être le meilleur dans tout et de me tenir aussi loin que possible de la moyenne. J'espérais qu'on m'admire, mais sans trop m'approcher.

::

Je fais acte de présence au travail.
Je suis lourd.
Je n'ai envie de rien.
Mes pensées tournent en rond.
Ma tête est un trou noir.
Ma vie ne s'en va nulle part.
J'ai un emploi que je n'aime pas.
Je rêve d'un gars qui ne veut pas de moi.
Je tourne en rond.
Je suis lourd.
Mon travail empire tout ce que je ressens.
J'ai trop de temps pour réfléchir.
Je tourne en rond.
Je suis lourd.
Je n'ai envie de rien.
Sauf de silence.

::

Mon professeur avait convié chacun de ses élèves à une rencontre individuelle de fin de session. Puisque le théâtre était responsable de mon ouverture à l'égard de Charles, j'avais décidé de rayer cette activité de mon existence. Une fois de plus.

Totalement incohérent, je sais...

Lorsque je suis entré dans son bureau, j'ai senti une charge d'affection se diriger vers moi. Cet homme m'avait permis d'évoluer davantage en dix semaines que n'importe quel autre professeur en une année.

— Par où commencer ? Je pense que tu n'as même pas idée du potentiel qui se cache en toi, Émile. Ta façon d'habiter l'espace ne ressemble à rien de ce qu'on voit généralement chez les jeunes de ton âge.

— Même si je joue en construisant mes émotions artificiellement ?

— Oui ! Mais ça ne m'empêche pas de voir tout ce qui bouillonne en toi. Le jour où tu vas lâcher prise, plus rien ne va t'arrêter...

Je regardais vers le sol, un peu gêné.

— Je pense que je vais vous décevoir : j'ai décidé de lâcher le théâtre.

— Prends ton temps, Émile. De toute façon, c'est écrit dans le ciel que tu vas en refaire un jour.

CHAPITRE 11

En retournant flirter avec les candidats de ToietMoi.com, je suis tombé sur Julien, un trentenaire d'origine française qui m'était tout de suite apparu comme l'extrême opposé de Charles : jovial, léger et s'ouvrant à moi avec facilité. Après environ trois heures de clavardage, nous avons eu envie d'une première conversation devant la webcam. Traduction libre : on voulait voir si on se trouvait *cute*.

Sur mon écran d'ordinateur est apparu un homme avec un sourire frondeur, une barbe blonde, un nez proéminent, des yeux bleus pétillants et une coupe de cheveux ressemblant à celle de Devon Sawa dans *Casper*. Julien m'entretenait avec enthousiasme et un accent tout à fait charmant des premières années de sa vie québécoise.

— J'ai eu un de ces chocs à mon arrivée ! Les Québécois n'ont rien à voir avec les « Vieux Cousins » dont on nous parle dans les médias. J'étais si peu exposé à la culture québécoise en Europe que je n'avais aucune idée de l'influence anglo-saxonne sur votre peuple.

— C'est bizarre que tu dises ça, parce que les Français ont la réputation d'être hyper conscientisés par ce qui se passe dans le reste du monde.

— Faut pas toujours croire ce que disent les Français...

— Surtout lorsqu'ils se prétendent supérieurs à tout le monde...

— Attention, c'est très parisien ce que tu racontes, pas nécessairement français.

— Quand même… Vous avez dominé en peinture, en mode, en poésie, en cinéma et en architecture pendant des siècles, mais aujourd'hui, vous faites seulement quelques bons trucs, par-ci, par-là.

De toute évidence, ma dernière phrase ne lui a pas plu du tout. Ses narines se dilataient et ses poumons emmagasinaient des volutes d'air pour me répliquer.

— De quel droit oses-tu parler des Français comme ça?

— Ben là, Julien, tu disais quasiment la même chose que moi, il y a deux minutes.

— Tu sais, c'est très québécois de parler comme tu viens de le faire : s'égosiller sans être jamais sorti de son gros village. Quand tu te seras frotté à d'autres cultures, tu auras peut-être le droit à une opinion.

— J'ai peut-être pas voyagé autant que toi, mais tu me feras jamais croire que les Québécois ne font pas de grandes choses!

— Le jour où le Québec parlera son propre langage, il arrivera peut-être à créer quelque chose de potable. Pour l'instant, si je me fie à votre cinématographie, vous ne faites rien d'autre que des films nombrilistes et inintéressants.

— Et t'en as vu combien pour dire ça? Deux, trois? T'as entendu dire qu'il se faisait trop d'œuvres populaires et tu te donnes le droit de généraliser en crachant sur notre culture au complet?

— Vous êtes un peuple immature, sans littérature, sans cinématographie et sans avenir! cria-t-il, tel un Lord Durham des années 2000. Les Européens n'en ont rien à faire de vous et les anglophones vous trouvent ridicules. Le Québec est une vraie farce!

Je restais planté devant ma webcam, bouche bée.

— Émile, tu es désolant…

— Eille! T'as beau avoir toute la culture et les expériences que tu veux, si ton intelligence émotive est aussi limitée, tu mérites même pas que je t'écoute.

Avec toute l'innocence de mes vingt ans, je me suis épargné sa nouvelle attaque en fermant ma webcam et en supprimant toute trace de nos conversations.

Question de bien nettoyer mon esprit de ses préjugés (et des miens, par le fait même…), j'ai dressé la liste des vingt films québécois qui m'avaient marqué depuis que j'étais né.

Coups de cœur cinématographiques
de juillet 1990 à juin 2010

Les plus touchants: *C.R.A.Z.Y.* (Jean-Marc Vallée), *Tout est parfait* (Yves-Christian Fournier), *L'Audition* (Luc Picard), *Elles étaient cinq* (Ghislaine Côté), *Un dimanche à Kigali* (Robert Favreau), *Maman est chez le coiffeur* (Léa Pool), *Borderline* (Lyne Charlebois), *J'ai tué ma mère* (Xavier Dolan), *Polytechnique* (Denis Villeneuve).

Les fascinants pour l'œil: *Mémoires affectives* (Francis Leclerc), *Maurice Richard* (Charles Binamé), *Mælström* (Denis Villeneuve), *Les Amours imaginaires* (Xavier Dolan), *Le Violon rouge* (François Girard).

Les inclassables: *Les Aimants* (Yves P. Pelletier), *La Grande Séduction* (Jean-François Pouliot), *Léolo* (Jean-Claude Lauzon), *Les Invasions barbares* (Denys Arcand), *Liste noire* (Jean-Marc Vallée) et *Le Journal d'Aurélie Laflamme* (Christian Laurence).

Aussi simple fût-elle, cette énumération me donnait l'impression de clouer le bec à l'imbécile européen qui parlait à tort et à travers. Et en m'attardant à certains titres, je constatais à quel point les trois premiers m'avaient viscéralement marqué.

C.R.A.Z.Y.

Les thèmes de ce film m'avaient donné l'impression qu'on parlait de moi pour la première fois : l'homosexualité, l'acceptation de soi, l'amour entre un père et son fils. Chaque fois que je regardais C.R.A.Z.Y., je finissais par pleurer ma vie.

Tout est parfait

Le suicide chez les adolescents et l'infinie difficulté de vivre, filmés avec une sensibilité qui frôle l'intolérable. En sortant du cinéma, j'étais rentré chez moi en pleurant tout ce qu'un être humain peut physiquement pleurer pendant deux heures. Le film avait réveillé la part de renoncement qui m'avait un jour habité.

L'Audition

Quelques semaines après la mort de mon père, Lilie m'avait convaincu d'aller voir ce film, sans en connaître le dénouement : les derniers mots d'un père à son fils, les conseils, les pièges à éviter, les plaisirs à savourer.

Toutes ces choses auxquelles je n'avais pas eu droit depuis des années.

Avant d'aller dormir, j'ai inséré le DVD de *L'Audition* dans mon ordinateur. À la toute fin, mes barrières ont cédé, mes larmes se sont mises à couler, ma vie tout entière a recraché la mort de mon père, le désamour de mon meilleur ami, le rejet, la tristesse, la colère, l'impuissance, le refus d'accepter, le vide. Tout y est passé. Jusqu'au soupir. Jusqu'aux joues séchées. Jusqu'à la nuit. Jusqu'à cette incapacité de m'endormir. Jusqu'à cette sensation dans mon ventre.

Ça brûle par en dedans.

Qu'est-ce que j'étais réellement venu chercher à Montréal ?

Un amoureux, à ce qu'il paraît...

La raison que je m'étais donnée il y a un an ne me convainquait plus.

Après quoi tu cours ?

J'avais un besoin surdimensionné d'attention, d'amour et d'affection. Je me faisais un peu plus confiance qu'avant, mais je ressentais toujours un manque en moi, comme une incapacité qui me retenait d'avancer. Une impression de ne pas être à la hauteur. Pas assez beau, pas assez drôle, pas assez intelligent. Rien en moi ne semblait suffire pour apaiser ma peur de les voir partir. Les amants, les amours, les uns après les autres. Je vivais dans le regard des autres depuis que j'étais né, mais l'importance que j'y accordais s'était amplifiée au cours des cinq dernières années. Le décès de mon père était la première grande perte de mon existence. Je ne comprenais toujours pas pourquoi il n'était pas remonté et je refusais d'admettre qu'il nous avait abandonnés.

Assis dans mon lit, vers quatre heures du matin, je repensais à toutes les fois où il était revenu dans le décor en m'empêchant d'avancer. Je revoyais mes ateliers de théâtre, le mur que j'avais construit entre moi et mes émotions, le refus d'y retourner. En espérant trouver où tout avait bloqué, j'ai pris mon cellulaire et j'ai fouillé.

Google search : les étapes du deuil.

Certains sites en dénombraient cinq, d'autres en listaient plutôt sept. Il était généralement question de choc, de déni, de colère, de tristesse et de cette phase dans laquelle je refusais d'entrer depuis des années : la résignation. Arrêter de lutter, de chercher à comprendre, de se battre. Ne plus espérer de réponse, ne plus imaginer que la mort de mon père pouvait avoir une explication logique, ne plus croire que la vie a toujours du sens, ne plus essayer de tout contrôler. Lâcher prise...

CHAPITRE 12

Je marchais vers l'Université de Montréal. Les rayons du soleil frôlaient mon épiderme, me laissant avec un doux sentiment de liberté et de légèreté. Malgré l'impression de sérénité que je dégageais, j'étais incapable d'assumer la nature de mes prochaines actions. Je craignais tant de commettre une erreur impardonnable que j'ai appelé Clara pour me donner bonne conscience.

— Tu penserais quoi si je te disais que j'ai une *date* avec un étudiant roumain dans un gym, un sauna et un bain-tourbillon…

Silence momentané au bout du fil.

— Euh… je répondrais : « Qui êtes-vous et qu'avez-vous fait du Émile que je connais ? »

— Je sais, je sais, ça me ressemble pas… Mais je suis en amour avec le mauvais gars, alors je me suis dit que je pourrais peut-être essayer de combler un besoin physique en attendant que le reste se replace.

— C'est quand même drôle venant de toi. T'as toujours jugé ceux qui avaient des *one nights*.

— Ouin…

— Ça veut pas dire que t'as pas le droit. Si tu te respectes là-dedans, amuse-toi !

— Merci ! C'est ça que je voulais entendre. Pis toi, comment vont les choses avec ton représentant de la loi ?

— Mieux, je dirais. Il assure une fois sur deux… T'avais raison, d'ailleurs. Plus je suis naturelle, plus je l'excite. Si j'ai le malheur de me pitouner avant de sortir, je peux être certaine qu'il va rien se passer en rentrant.

— En tout cas, si t'as besoin de conseils sur ta vie sexuelle, tu sais à qui demander… J'ai quand même une bonne douzaine de fois à mon actif! Allez, je te laisse. Faudrait quand même pas que je sois en retard pour ma nouvelle vie de débauché.

Monsieur le Roumain m'attendait devant la billetterie du centre sportif de l'université. Salut, salut, bisou, bisou, direction: les vestiaires.

Bonjour le romantisme…

Selon mes premières observations, mon voisin de casier avait un corps svelte, une adorable peau foncée et de jolies petites fesses rondes. Une fois déguisé en sportif, il m'a suggéré d'aller courir sur le tapis roulant, question de transpirer juste assez longtemps pour avoir une bonne raison d'aller sous la douche.

On ne va quand même pas se faire accroire qu'on est venus ici pour faire du sport…

L'entraînement le plus court de l'histoire de l'humanité s'est terminé quand Roumain-en-manque m'a proposé d'aller au sauna pour évacuer quelques toxines (lire ici: profiter d'un lieu exigu pour évaluer mes attributs peu vêtus). En deux temps trois mouvements, nous avons troqué nos vêtements pour une petite serviette blanche, avant de poser nos postérieurs sur les bancs du sauna.

Merci, ô toi, chère serviette à l'épaisseur parfaite, de cacher mon excitation.

Seuls quelques millilitres de transpiration avaient eu le temps d'abandonner les pores de ma peau lorsque mon comparse de la chaleur m'a conduit vers un bain-tourbillon où la nudité était généralisée.

Qui aurait cru que les mâles débordant de testostérone prenaient leur bain en groupe?

Lorsque j'ai vu la quinzaine de sportifs porter fièrement leur tenue d'Adam, j'ai accepté d'abandonner ma gêne et ma serviette à l'entrée. Je me suis amusé à prendre des photos mentales de tous ces corps athlétiques qui me faisaient perdre la raison. Grâce à la mousse opaque à la surface de l'eau, le moment me semblait tout indiqué pour suggérer à ma main de faire une marche de santé vers la Roumanie à mes côtés.

C'est peut-être ça qu'on appelle le tourisme sexuel.

Vu l'absence de réactions de mes congénères du tourbillon, j'ai conclu que personne ne voyait ce qui se passait sous l'eau depuis dix minutes. Y compris le geste brusque du Roumain qui venait d'ordonner à mes doigts de retourner dans leur pays.

— Je dois sortir, dit-il subitement. La chaleur est trop pesante.

Puisque je craignais moi aussi de perdre la carte avec la température étouffante, je suis allé retrouver Roumain-un-peu-moins-en-manque dans le vestiaire. Nous avons pris une douche rapide avant de quitter le centre sportif et de nous réfugier dans la nature du mont Royal.

Un sentier vers la gauche, une dizaine de marches vers le haut, une courbe vers la droite, et hop, un banc à l'abri des regards. Les lattes de bois écorchaient la peau de mon dos, le vent frisquet de fin de soirée camouflait le bruit de sa fermeture éclair, les vis et les écrous grinçaient à un rythme régulier, le bonheur d'avoir enfin terminé s'est propagé, et je me suis emparé d'une bouteille d'eau dans mon sac de sport pour me rafraîchir le gosier.

::

Le lendemain matin au bureau, Marcelle m'a annoncé que notre patron voulait me voir. Au terme des visites de la matinée, je me suis dirigé d'un pas nonchalant vers le troisième étage. Une fois assis devant mon supérieur, je l'ai écouté me résumer son nouveau projet.

— Avec les résultats des derniers mois, on a décidé d'augmenter le nombre de visites à cinq par jour. Si tu acceptes de t'en occuper, tu pourrais travailler 35 heures par semaine. Est-ce que ça t'intéresse?

— Je vais prendre quelques jours pour y réfléchir.

Le temps de trouver une bonne raison pour refuser.

:: :

Assis devant une crêpe sucrée chez Juliette et Chocolat de l'avenue Laurier, je revoyais Charles pour la première fois depuis ma déclaration. Le malaise était palpable. Les bisous que nous avions échangés étaient maladroits. Nos regards se croisaient sans se fixer. Nos sujets de discussion s'étiraient sans trouver le moyen de s'envoler. Je sentais qu'il avait envie d'être là autant que moi, mais nous ne savions pas comment nous débarrasser du voile d'inconfort qui nous faisait de l'ombre.

— Charles…

Rassemblant tout mon courage, j'affrontais enfin son regard.

— J'ai une question à te poser… C'est un peu bizarre, mais j'ai besoin de savoir, pour fermer le dossier dans ma tête… Pourquoi tu veux seulement qu'on soit amis?

— Parce que je te vois comme mon petit frère. J'ai envie d'être là pour toi, de t'écouter, de te protéger… mais pas d'être en couple. T'es brillant, sensible, drôle, attachant et tout ce que tu veux, sauf que pour moi, ça reste de l'amitié.

— OK, donc je suis pas assez extraordinaire pour te plaire…

— Ben non… c'est plus comme une absence. Ça s'explique pas vraiment. Tu vas voir, ça va t'arriver à un moment donné.

— Sais-tu, j'y tiens pas tant que ça. *Anyway*, je pense que y a rien à ajouter… Tu dirais quoi si je te racontais ma dernière *date* à la place?

— Déjà?

— Ouin… mais je sais pas si t'es capable d'entendre mon histoire. Ça va vraiment casser l'image que t'as de moi.

— *Come on,* Émile, fais pas ton prude !

— La fin de semaine dernière, je suis allé faire des cochonneries dans une baignoire du CEPSUM et dans un buisson du mont Royal !

La face de Charles venait de tomber.

— Je te crois pas !

— Je te le jure !

L'écho de son rire bondissait sur tous les murs du café.

— T'es rendu du côté sombre de la force !

— Luke Skywalker pis moi, même combat !

— Eille, si je faisais une blague sur ton sabre laser, ce serait déplacé, hein ?

— Totalement, répondis-je en souriant. On n'est pas prêts pour ça…

La complicité que nous affichions malgré les derniers événements me démontrait qu'avec un minimum de temps et de patience, les choses allaient redevenir comme avant.

CHAPITRE 13

L'humidité de la fin juin entrait chez moi pendant que je préparais ma sortie à grand renfort de boîtes, de meubles et de muscles endoloris. Après avoir consacré sept semaines à la recherche de mon nouvel appartement, j'avais déniché un magnifique quatre et demie dans le quartier gai. Malgré tout ce que je pouvais reprocher au Village (trop de clubs, de saunas, de gars en manque, de drogues et de superficialité), j'appréciais sincèrement sa proximité avec le centre-ville et la quantité de prospects que je pouvais y rencontrer. Malheureusement pour mes espoirs « sexuelo-relationnels », le look du déménageur (guenilles sur le dos, barbe qui n'en finit plus de pousser, regard fatigué) ne m'assurait pas le meilleur rendement qualité-prix en termes de séduction. Sans oublier que j'hébergeais la *mamma* pendant la fin de semaine, le temps de conclure mon déménagement.

— Vas-tu peindre cet été ?

— Ouais, j'ai prévu mettre du blanc et du bleu-gris dans ma chambre, du rouge cerise sur un des murs du salon, et la salle de bain va rester turquoise, même si c'est un peu intense. Il me reste à décider ce que je vais faire de la petite pièce près de l'entrée.

— Tu pourrais la transformer en chambre noire…

— Je pense pas, non. Je fais presque seulement des photos numériques maintenant. Et ça coûte trop cher.

— Si c'est seulement une question d'argent, ça peut s'arranger…

— Pourquoi tu dis ça?

— Parce que tu vas avoir une surprise pour ta fête!

— OK... mais mon anniversaire est seulement dans une semaine.

— Ton père avait prévu un montant pour toi dans son testament. Il avait précisé de te le remettre lorsque tu aurais vingt et un ans. Dans quelques jours, la banque va virer vingt cinq mille dollars dans ton compte.

Mes yeux se remplissaient d'eau. J'étais déchiré entre l'impression de revivre la mort de mon père et le vertige de ne pas savoir quoi faire de ce magot.

— Ça veut dire que...

— Que tu peux en profiter pour t'aménager une chambre noire!

Je ne me rappelais plus la dernière fois où mon appareil photo m'avait réellement fait vibrer.

— Sais-tu quoi? Je pense que je préfère utiliser l'argent pour autre chose. Genre, quitter ma *job* pis retourner aux études.

— Tu vas t'inscrire en quoi?

— Bonne question...

Puisque la *mamma* considérait qu'une liasse d'argent était le genre de cadeau qu'on faisait en mourant ou quand on ne voulait pas se donner le mal de faire plaisir à l'autre, elle avait rempli de cadeaux une énorme malle que ses parents lui avaient léguée vingt ans plus tôt: des confitures aux fraises de notre jardin, un vase rempli d'eau de mer, une cassette sur laquelle était inscrit «Lilie Jutras, flûte traversière, 1999: chanson thème de *La grenouille et la baleine* et un spécial Disney (*Aladin, Le Roi Lion, La Belle et la Bête, La Petite Sirène, Mulan* et *Hercule*)», en plus de cinq photos qui étaient accrochées dans notre maison depuis des années:

— Un montage où mes parents s'embrassent en tenant un test de grossesse entre leurs mains ; le frigo rempli des envies étranges de femme enceinte (trois sortes de fromage de chèvre, du nougat, un sac de bonbons épicés, de la moutarde de Dijon et du pesto) ; ma mère couchée sur le canapé, enceinte jusqu'au cou, regardant l'appareil l'air de dire : « Es-tu vraiment obligé d'avoir un souvenir de ça ? » ; mon père avec un bébé dans les bras, quelques minutes après ma naissance.

— Un enfant de trois ans occupé à inventer une guerre entre ses G.I. Joe et ses Barbie.

— Lilie émue en regardant *Armageddon*, pendant que je l'observe d'un œil complice.

— La *mamma* et la version préadolescente de son fils en pleine course sur la plage : elle, portant un maillot fleuri d'une laideur presque belle, et moi, maudissant le t-shirt trop grand qui me ralentissait, alors que je lui demandais seulement de cacher ma maigreur.

— Mes grands-parents, ma mère et Lilie qui se préparent à souffler les quatorze chandelles de mon gâteau d'anniversaire, devant mon visage horrifié.

Pour accompagner mes cadeaux sur le mur du couloir menant à ma chambre, je me suis permis d'ajouter une touche personnelle.

— Mon père adossé à l'escalier de notre entrée, en train de faire la mise au point de son appareil.

La dernière photo que j'avais prise de lui, quatre jours avant sa mort.

::

La main de Marcelle ne me lâchait plus depuis notre arrivée au restaurant. Le visage triste d'Alyana restait imperturbable à toutes les blagues que je faisais pour détendre l'atmosphère. Le sourire désinvolte de Bryan me troublait mille fois plus qu'il ne me calmait. J'avais peine à croire que j'avais quitté mon emploi. Mes plans avaient changé le jour où quelques secondes d'oxygène en moins avaient donné un deuxième souffle à ma vie.

— *You are on another planet, man.*

— Il est en train de se rendre compte à quel point il va s'ennuyer de nous… lança Alyana.

Mes collègues allaient me manquer plus que je n'osais l'imaginer, mais j'étais trop préoccupé par mon héritage pour réaliser pleinement ce qui était en train de se passer. Toutes les dépenses que j'avais faites depuis que ma mère était retournée en Gaspésie s'étaient chargées de me rappeler à quel point je m'ennuyais de mon père. Je devenais nostalgique chaque fois que je regardais mon nouvel écran plasma et que je portais les vêtements que je m'étais achetés.

— *We always knew you wouldn't stay with us forever, kiddo…*

Je ne savais plus comment agir avec eux. L'horloge près de l'entrée me donnait le vertige. Quelques minutes avant treize heures, Alyana s'est levée pour aller payer.

— Je continue à penser que tu serais un bon parti pour n'importe quelle personne que j'aime.

Marcelle m'a laissé avec un baiser sur le front, incapable de dire quoi que ce soit.

Bryan s'est approché pour me prendre dans ses bras.

— *I hope you know how boring our days will be now that you're gone…*

Soulagé d'un travail que je détestais, mais conscient du vide que leur absence allait créer dans ma vie, je les regardais se diriger vers le bureau avec l'impression d'abandonner ma deuxième famille.

::

Afin de souligner mon anniversaire malgré un léger retard, Charles avait prévu un souper trois services et un cadeau aux allures de devinettes.

— Essaie de trouver c'est quoi avant que je te le donne !

— Non, je suis nul à ces jeux-là.

— OK, d'abord. Je vais te donner un indice. C'est quelque chose qui t'oblige à avancer, mais sans jamais bouger.

— Euh… peux-tu être un peu plus vague, s'il te plaît ?

— C'est vert. Généralement, en tout cas. Surtout si tu sais comment t'en occuper.

— C'est vert, pis ça fait avancer ? Mais de quoi tu parles ?

— Je t'ai acheté une plante, Émile ! martela-t-il comme s'il venait de m'offrir la plus grande des évidences.

Mes yeux se posaient avec incrédulité sur mon cadeau d'anniversaire.

— Depuis quand ça fait avancer, une plante ?

— Ben, si t'arrives à t'en occuper, ça veut dire que t'es capable de prendre soin de toi.

— C'est louche…

— Pantoute ! Il paraît que si tu fais attention à toi, au lieu d'attendre un homme pour te sentir bien, la vie va mettre quelqu'un sur ta route.

— Ah ben là, fallait le dire ! Si c'est tout ce que ça prend pour être en amour, amène-la, ta plante !

Petite histoire triste de l'horticulteur de l'amour

Jour 1

Eille, la plante, imagine-toi quand même pas que je vais te regarder en jasant tout seul comme un twit…

Jour 2

Il est où le mode d'emploi qui venait avec la boîte ? Elle est où la boîte ? CHARLES !

Jour 3
OK, OK, je pourrais peut-être te parler un peu. La seule chose concrète que je fais de mes journées, c'est quand même de t'arroser... Aussi bien rendre ça l'*fun*.

Jour 4
Eille, la chlorophylle, il est où mon prince charmant?

Jour 5
Faudrait quand même pas t'imaginer que je vais continuer à t'arroser, sans rien obtenir en retour. Mon attention n'est pas gratuite, tsé.

Jour 6
Je décrète un lock-out. T'auras pus une seule goutte d'eau jusqu'à ce que tu retrouves un minimum de raison.

Jour 7
Ah! Tu fais moins ta smatte, maintenant que tu sèches. Je le savais. Je vais t'avoir à l'usure.

Jour 8
Tu devrais imiter les trois feuilles qui viennent de capituler. T'es juste pas faite pour la guerre.

Jour 9
Plante? Plannnte?

Jour 10
Bon, d'accord, mes méthodes étaient peut-être un peu extrêmes. Je n'aurais pas dû t'imposer une grève de la soif. C'était chien...

Jour 11
Hé! Je t'ai demandé pardon. Arrête de sécher!

Jour 12

Je pense que je viens de commettre un meurtre…

Jour 13

Ça ressemble à quoi des funérailles de plante ?

Jour 14

Je ne rencontrerai jamais l'amour…

CHAPITRE 14

Un déménagement dans le Village, une visite de la *mamma*, un héritage en différé, un cadeau feuillu mort et enterré. Quelques semaines avaient passé sans que je puisse discuter de mon retour aux études avec mon ancienne voisine. Une conversation vidéo par Skype s'imposait.

— Lilie, j'ai besoin d'aide ! Il faut que tu m'analyses et que tu trouves ce que je pourrais faire de ma vie.

— Mile, je pense que tu t'es trompé de personne... C'est Clara, ta psychologue au rabais.

— Elle est dans son *rush* de session d'été, pis j'ai vraiment besoin de l'opinion de quelqu'un qui me connaît mieux que moi-même.

— Ben là, t'as jamais voulu entendre ce que je pensais de ton avenir.

— Tu sais très bien pourquoi je veux pas être photographe...

— Pas vraiment, non... On n'en a jamais parlé pour vrai. Pendant des années, tu voulais faire ça de ta vie, mais quand ton père est mort, t'as changé ton capot de bord. T'as déjà dit que t'aurais l'impression de salir vos souvenirs si tu devenais photographe ; sincèrement, je pense que c'est un peu niaiseux.

Mon visage exprimait un mélange de surprise et de frustration avec une ardeur démesurée.

— Fais pas tes gros yeux... Je te dirais pas ça si j'étais pas convaincue que t'es en train de gâcher une partie de ta vie. T'es pas juste un gars qui prend des belles photos de vacances, câline! T'as un vrai talent! Ton père te l'a toujours dit.

— Justement, c'est entre lui et moi, la photo…

— Tu te racontes des histoires, Leclair… Tu penses honorer sa mémoire en prenant des photos seulement pour le plaisir, mais moi je dis que c'est le contraire. Il arrêtait pas de dire que si t'étais aussi doué à ton âge, c'était parce que t'avais hérité des yeux de ta mère et de son talent à lui. Il te regardait comme si t'étais la hui- tième merveille du monde, Émile! Penses-tu vraiment que ça le rendrait fier de voir que t'as arrêté à cause de lui?

— Lilie Jutras, étais-tu vraiment obligée? Pourquoi fallait que tu viennes tout *fucker* dans ma tête, hein? Tu pouvais pas faire comme moi, pis essayer de te convaincre que j'avais pris la bonne décision en évitant d'y penser?

— J'aurais pu, mais ma réserve de déni s'est épuisée depuis que j'ai arrêté la musique… Pis je te conseille pas d'attendre aussi long- temps que moi avant de réaliser que t'es en train de faire la plus grande erreur de ta vie…

— Qu'est-ce que ça veut dire, ça?

— Rien, rien… Je t'en parlerai une autre fois.

— En tout cas, si tu sais pas en quoi retourner étudier, tu devrais penser faire ton droit. T'es pas mal convaincante quand tu veux…

— On verra… Je vais sûrement me décider bientôt. Pis je suis sûre que tu vas finir par assumer ta vraie nature toi aussi. Au pire, fais une liste de métiers en écrivant tout ce qu'ils signifient pour toi. Tu pourrais peut-être comprendre où tu dois aller.

Pas bête.

— Hé, avant de raccrocher, reprit Lilie, dis-moi donc comment ça se passe avec ton Charles?

— Bon, premièrement, si t'arrêtais de l'appeler «mon» Charles, ça m'aiderait beaucoup. Pour le reste, ça va de mieux en mieux. On a recommencé à se parler comme avant.

— C'est drôle, j'étais convaincue que ta première peine d'amour allait être la fin du monde. T'es presque serein finalement.

— J'ai la sérénité pas mal limitée... Je suis même plus capable de prendre des photos qui ont de l'allure. J'accumule les rencontres futiles, pis je fais mourir les plantes...

— Bon, bon, bon... Va donc faire ta liste au lieu de déprimer, coco.

— Allez, on se reparle bientôt !

EXERCICE DE STYLE SUR L'AVENIR D'ÉMILE LECLAIR

Avocat	Trop de paperasse et de contournements de vérité.
Fonctionnaire	Le jour où je voudrai m'enterrer vivant, je vais y penser, promis.
Enseignant	J'aimerais mieux me faire casser les deux jambes que de retourner au secondaire.
Acteur	Je suis déjà assez centré sur moi-même sans gagner ma vie avec ça.
Comptable	Le monde veut-il vraiment d'une autre crise économique ?
Psychologue	Les seuls problèmes qui m'intéressent sont les miens et ceux des gens que j'aime.
Infirmier	Gros cliché homosexuel. Et beaucoup trop de risques que je m'évanouisse en voyant une aiguille.
Médecin	Le jour où je voudrai me passer de sommeil et de temps libre, j'y penserai.
Menuisier	Je suis un danger public avec des outils.
Réalisateur	Dire au monde quoi faire et être payé pour inventer des histoires, pourquoi pas ?
Journaliste	Parler des projets des autres, à défaut d'en avoir moi-même, très peu pour moi.
Photographe	...

::

J'étais terriblement excité à l'idée de sortir danser avec Clara pour la première fois depuis mon arrivée à Montréal. Mademoiselle la future psychologue se permettait de retrouver ses vieilles habitudes, parce qu'elle venait de terminer son dernier examen et qu'elle était en congé pour le reste de l'été.

Sur la terrasse du Sky, plusieurs clients arboraient la camisole, d'autres se contentaient d'un short.

— Fais pas cette tête-là… C'est la fin juillet, il fait chaud et t'es dans le Village : c'est clair que tu vas voir une couple de pectoraux.

Des serveurs habillés de culottes extracourtes déambulaient entre les tables en usant de leurs charmes pour attirer les regards. Les deux imberbes accumulaient les pourboires au fur et à mesure que Clara et moi montions les marches vers le deuxième étage. Mon amie me regardait d'un air amusé.

— As-tu vu tous ceux qui t'ont reluqué quand on est arrivés ?

— Non…

— Je te le dis, Émile, t'es tellement dans ta bulle que tu réalises pas à quel point les têtes se tournent.

— Pourquoi personne vient me parler, si je pogne tant que ça ?

— Parce qu'on dirait que t'es pas intéressé ! T'es là, beau comme un cœur, avec tes six pieds de jambes, tes grands yeux bleus et ton visage de Bambi, mais t'as l'air au-dessus de tes affaires.

— Moi, je dis que tu devrais lâcher la psycho, pis écrire un téléroman. T'as beaucoup d'imagination !

Autour de nous, des centaines d'hommes se trémoussaient sur les rythmes pop d'un D.J. apparemment très connu. Tout juste avant d'aller les rejoindre, nous avons trinqué avec des *shooters* de téquila. Quelques gouttes d'alcool allaient certainement m'aider à me dégêner un peu.

Jason Derulo.

Mon regard soutenait celui d'un beau grand Noir.

Ke$ha.

Clara ramenait mon visage vers elle en tentant de lui imposer un minimum de subtilité.

Britney Spears.

Le grand Noir marchait tranquillement vers nous.

David Guetta.

Mon amie me faisait remarquer qu'il était moins *cute* vu de proche…

Shakira.

Mes yeux se plantaient dans ceux d'un blondinet d'à peu près vingt-cinq ans.

Pink.

Un petit brun s'est approché du grand Noir pour faire comprendre à tout le monde que *la chose* lui appartenait.

Katy Perry.

Petite pause vers le bar pour engloutir des *shooters* de vodka.

Beyoncé.

Le petit brun du grand Noir s'est arrangé pour m'accrocher l'épaule en sortant de la piste de danse.

Mika.

Puisque le blondinet avait disparu, mes yeux se sont tournés vers un joli rouquin.

Kelly Rowland.

Rouki dansait soudainement à quelques pouces de moi.

Jay-Z.

Les mains baladeuses, il s'est permis d'agripper la poche de mon pantalon sans la moindre gêne.

Yelle.

Je reculai d'un pas en le regardant avec dégoût.

Lady Gaga.

Mon cellulaire indiquait deux heures du matin. J'ai fait signe à Clara que je voulais partir.

— T'es déjà tanné ?

— Ben là, il a mis ses mains dans mon pantalon. C'était vraiment *too much*!

Mon amie me regardait avec affection en mettant elle aussi sa main dans mes poches.

— T'es tellement pas vite quand tu veux…

Elle a sorti un bout de papier sur lequel le rouquin avait noté son numéro de téléphone.

— Je te l'avais dit que tu pognais pour vrai. C'est juste dommage qu'il soit une vraie traînée…

— Pourquoi tu dis ça?

— Écoute, je pourrais faire un doctorat sur le monde pas propre. Je reconnais ça les yeux fermés…

— En tout cas, on n'a pas le droit de finir la soirée sans aller manger une poutine au Club Sandwich.

— Ouh la la, monsieur commence à connaître son quartier!

— Un vrai de vrai Villageois…

::

Environ trente-huit degrés dehors, au moins trente-trois en dedans, la peau moite, les vêtements collants, un canapé de cuir intolérable. La chaleur des derniers jours m'imposait un régime de vie désolant. J'avais de la difficulté à dormir plus de trois heures par nuit. Le ventilateur qui propulsait de l'air chaud sur mon visage me faisait éternuer toutes les cinq minutes. Je m'obligeais à prendre des bains d'eau froide en faisant semblant de lire le journal. Je m'étendais sur le canapé dans mon plus simple appareil, jugeant que la canicule fournissait un argument légal à mon exhibitionnisme. Ne sachant plus quoi inventer pour faire oublier à mon corps qu'il transpirait sa vie, je me suis branché sur ToietMoi.com en espérant rafraîchir mes pensées. Parmi les centaines de profils qui tentaient d'attirer mon attention, plusieurs affichaient une piscine à Laval, un spa à

Berthierville ou un *lift* pour la plage d'Oka. Je refusais d'aller en banlieue uniquement pour contrer les effets du mercure.

Des plans pour être pris là-bas si ça tourne mal.

*Ou me faire kidnapper, séquestrer, violer, tuer et inspirer le pro-
chain film à succès qui sera projeté sur les écrans du monde entier.*

Tsé, l'art de se donner un peu trop d'importance…

Le jeune inexpérimenté des régions que j'étais il y a quinze mois
s'était transformé en jeune urbain flottant sur un succès quasiment
trop beau pour être vrai. J'attirais les regards, je considérais les propositions et je développais une dépendance au flattage d'ego quotidien.
Même si j'étais loin d'avoir réglé mes problèmes de confiance en moi
— et même si j'étais toujours célibataire —, ma présence sur le site de
rencontres venait désormais avec la conviction d'être convoité. Plus
je plaisais, mieux je me sentais. Il fallait absolument que je change
d'attitude. Ma dépendance au regard extérieur devenait de plus en
plus sournoise.

Selon les livres de psycho pop, la façon la plus saine d'avoir de l'attention était de s'en donner. Certaines études soulignaient également
que, si je répétais une fois de plus que mes photos étaient sans intérêt,
j'allais mourir étouffé avec mes regrets dans la prochaine année. J'ai
donc décidé de régler mes deux problèmes avec une seule et même
idée : servir de modèle à mes propres photos, goûter de nouveau au
déclic de mon appareil et essayer d'apprivoiser ma petite face.

Ce soir-là, j'ai joué au mannequin en enfilant à peu près tout ce
qui était aligné dans ma garde-robe. Je déconnais avec mon appareil.
Je lui criais après. Je le boudais. Je tentais de le séduire. Je laissais
tomber une larme ou deux. Je faisais l'enfant. J'oubliais de me juger.
J'ignorais si j'étais beau. Je me foutais de savoir si j'étais bon. Je n'avais
peut-être pas décidé d'en faire mon métier, je n'avais sûrement pas
réglé tous les problèmes d'amour-propre qui me plombaient les
pieds, mais je me suis endormi avec une seule envie : recommencer.

::

Pendant que monsieur et madame Tout-le-Monde retournaient au bureau après une autre fin de semaine beaucoup trop chaude pour être tolérable, je suis allé m'enfermer avec Charles à l'air climatisé, au cinéma du Parc. Au moment de franchir la porte d'entrée, j'ai tout de suite reconnu un visage que je n'avais pas revu depuis des mois.

— Le gars là-bas, dis-je en pointant celui qui m'avait fait vivre 75 % de mes premières fois, c'est Francis...

— Le gars aux cheveux longs ?

— Oui... Je vais aller lui parler deux minutes. Je te rejoins tout de suite après.

— Tu veux vraiment pas que je le rencontre, hein ?

— Allez, s'il te plaît, ça me gêne trop... Je vais faire ça vite.

Bon joueur, Charles est allé nous prendre des places. J'avançais vers Francis en me demandant ce qu'un amateur de *blockbusters* abrutissants faisait dans un cinéma répertoire sur le point de projeter *Un prophète*, un film français de deux heures et demie sur le milieu carcéral.

— T'as gagné des billets, toi aussi ? demanda-t-il en me voyant arriver.

Ceci explique cela...

— Non, je suis venu avec un ami. Tu sais de quoi parle le film ?

— Pas vraiment, non... Je devrais ?

— Bah non. Profite de la surprise.

J'ai rejoint Charles quelques secondes avant les bandes-annonces.

— As-tu vu comment Francis nous regardait ? Je suis sûr qu'il était jaloux de me voir avec toi.

— Il me semblait qu'il avait aucun sentiment, dans le temps ?

— Peut-être, mais on s'entend que le jugement d'un gars qui se met de l'eye-liner est pas mal discutable... Il a sûrement changé d'avis depuis.

— T'es de mauvaise foi, Émile...

— Je le sais, mais ça me fait tellement de bien !

Lorsque j'ai vu Francis attendre dans le hall après la projection, j'ai fait comprendre à Charles que j'allais gérer la suite comme un grand garçon. Mon ex-non-chum me regardait avec de grands yeux ronds.

— Je suis sûr que tu savais que c'était un film troublant.

— Ça se peut, oui.

— Écoute, je pensais que j'allais perdre connaissance.

— Bon, bon, bon... Viens donc avec moi dehors au lieu de dire des niaiseries.

Nous marchions rue Sainte-Catherine en renouant avec la complicité qui nous unissait auparavant : discussions légères, rires à profusion, aisance déconcertante. À la hauteur de la rue de la Visitation, j'ai proposé à Francis de m'accompagner chez moi pour vérifier jusqu'où la soirée allait nous mener. Nous nous sommes retrouvés sur mon lit à discuter de tout et de rien, mais surtout de sexe. La tension physique était palpable. Les regards chargés de non-dits se comptaient par dizaines. Nous étions sur le point de nous sauter dessus lorsque j'ai cru bon m'amuser un peu...

— Tu prends le métro ou tu dors ici ?

Il est soudainement devenu mal à l'aise.

— Je sais pas... La ligne verte ferme à quelle heure ?

L'horloge indiquait minuit vingt, ce qui lui laissait près de vingt-cinq minutes pour faire un choix. J'ai laissé planer le doute volontairement.

— Peut-être que je devrais rentrer chez moi, conclut-il en se dirigeant vers l'entrée.

— Bonne nuit, Francis...

Le lendemain matin, l'écran de mon ordinateur commençait tout juste à stimuler mes yeux ensommeillés lorsque Francis est venu me parler.

— Tsé, hier, quand tu m'as demandé si je voulais rester, est-ce que c'était une invitation à passer la nuit ou une façon de me dire de partir?

— Ni l'un, ni l'autre. Mais si t'avais voulu rester, t'aurais pu…

— Je pense que j'aurais pas été très sage…

— J'avais pas l'intention de l'être non plus.

— En tout cas, si tu veux remettre ça, je suis partant.

— Pour aller prendre un café ou pour le reste?

— *Anything you want!* Ce soir, t'es libre?

— Je t'attends chez moi à sept heures.

Après nous être obstinés pendant trente minutes pour choisir le film que nous allions regarder (*Ghost — Mon fantôme d'amour*), nos deux corps se sont retrouvés comme si les derniers mois n'avaient jamais existé. Je me suis lové contre sa poitrine et j'ai retrouvé l'odeur qui m'avait tant manqué.

Le bonheur.

Patrick Swayze venait de se faire tuer quand ma bouche est allée rejoindre celle de Francis. Whoopi Goldberg se parlait toute seule dans la rue lorsque mes mains se sont faufilées jusqu'à son jean. Nous nous sommes dirigés vers ma chambre, avant même que Demi et Patrick fassent de la poterie. Nos baisers se transformaient en caresses, nos vêtements devenaient de vagues souvenirs et nos retrouvailles alternaient entre l'horizontale, la verticale, le lit, le plancher, le mur et les trois autres pièces de l'appartement. Au bout de quelques heures, Francis et moi nous sommes endormis, les jambes molles, la gorge sèche, le corps en lambeaux et la satisfaction dans l'âme.

Deux jours plus tard, après un *remake* de nos retrouvailles dans son appartement, j'écoutais mon ex-non-chum décrire sa soirée du lendemain en essayant d'empêcher le mot «perplexe» de s'imprimer sur mon visage.

— Kévin m'a invité à un party changement de sexe. Ça va être vraiment *hot*! Attends deux secondes: je vais te montrer mon costume!

J'assistais bien malgré moi à l'assemblage maladroit de bas résille, d'une perruque blonde défraîchie, d'une robe rouge au décolleté trop plongeant et d'un collier ayant probablement appartenu à Délima Caillou, il y a deux mille ans.

Le simple fait de voir Francis déguisé en fille avait suffi pour tuer le reste de désir que j'avais pour lui. Je n'avais aucun moyen de me sauver, le métro était fermé depuis une heure et Francis vivait beaucoup trop loin de chez moi pour que je rentre à pied. La seule chose que je pouvais faire pour éviter de le toucher, c'était de feindre le sommeil.

Francis s'est mis à ronfler environ quinze minutes après avoir vérifié si je dormais. Isolé dans mon coin, le dos et les fesses collés contre le mur, je souffrais en silence. Mon malaise grandissait à chaque tour que complétaient les aiguilles sur l'horloge accrochée au mur. À six heure vingt, convaincu que le métro avait repris du service, je suis sorti du lit en déployant quantité d'efforts pour ne pas réveiller Francis. Dehors, une réalité brutale m'a frappé en pleine gueule:

Être dans la rue à six heures vingt-quatre, un samedi matin, quand il pleut et qu'on gèle, c'est crissement moche! Plus jamais, Émile Leclair, plus jamais, m'entends-tu?

J'ai eu le réflexe de sortir mon appareil photo afin d'immortaliser un moment que je ne risquais pas d'oublier: des arbres privés de la moitié de leurs feuilles, une grisaille qui n'avait rien de réconfortant, quelques personnes qui entamaient leur samedi à une heure totalement indécente. Quelque chose comme du désespoir de fin de semaine. Clic.

CHAPITRE 15

Afin d'effacer rapidement le souvenir de Francis, j'ai accepté l'invitation d'un homme qui m'avait abordé la veille sur ToietMoi.com. La confiance désinvolte de ses messages avait suffi pour me donner envie de faire sa connaissance.

Je me sentais étrangement calme, assis dans ce café du Vieux-Montréal, entre deux murs de pierres parcourus de lianes et de feuillage.

Le voilà.

Début trentaine, peau foncée, cheveux noirs, regard vert perçant, corps entraîné sans être surdimensionné, énergie profondément mâle, l'apollon iranien approchait en me saluant d'un accent français tout ce qu'il y a de plus craquant. Titulaire d'un diplôme incluant une majeure en relations publiques et une mineure en psychologie de l'Université McGill, Perse-Pétard entamait une maîtrise en communications à l'Université Concordia, et mettait la touche finale à une exposition de peintures dans une galerie française.

— Si je me souviens bien, tu es un artiste toi aussi, lança-t-il en plantant ses yeux dans les miens.

— Si on veut... Je fais de la photo depuis que j'ai douze ans. C'est mon père qui m'a montré.

— Il est doué ?

— Oui. Il a beaucoup travaillé pour le *National Geographic*, le *New Yorker*, *L'actualité* et *Le Monde*.

— Tu parles au passé…

— Il est mort il y a cinq ans. De toute façon, je sais plus si je veux gagner ma vie comme ça.

— Tu voudrais faire quoi à la place ?

— Aucune idée ! J'avais pensé étudier en cinéma, mais je suis pas sûr que ce soit vraiment fait pour moi.

— Tu pourrais te spécialiser en direction photo.

— Ouin… le problème, c'est que je suis un faux connaisseur. J'ai regardé presque tout ce qui s'est fait au Québec et aux États-Unis depuis dix ans, mais j'ai jamais vu les grands classiques. Et je connais pas grand-chose au cinéma international.

— Si tu as besoin de faire un peu de rattrapage, va faire un tour à la Boîte noire. Les conseillers sont super calés en cinéma de répertoire. Ce serait un bon début.

Allumé, cultivé, beau comme un dieu, Perse-Pétard était un oiseau rare.

— J'ai envie de te proposer un truc : viendrais-tu chez moi pour voir mes toiles et me dire ce que tu en penses ?

— Moi ? Mais je connais rien en peinture… Je vais dire n'importe quoi.

— Non, non, j'ai besoin d'un regard extérieur. Je suis convaincu d'avoir l'heure juste avec toi.

— OK, je veux bien essayer.

Ma peur n'était pas tant d'avoir l'air d'un parfait débutant en peinture, mais de me retrouver chez un homme, moins de deux heures après notre première rencontre.

Sur le bout du canapé, j'observais Perse-Pétard déballer ses toiles.

— Je me suis inspiré d'un poème que mon grand-père récitait quand j'étais enfant. Ça parle de mouvement et du chemin qu'on a le choix de prendre ou non dans la vie.

Ses œuvres défilaient sous mes yeux, et j'essayais d'exprimer ce qu'elles évoquaient en moi.

— Les spirales dans la moitié de tes toiles, j'adore ça. Je les regarde comme si j'allais comprendre quelque chose de nouveau à un moment donné. Celles avec du rouge et du noir, elles me font un peu peur, mais c'est pas agressif... c'est tragique, ça a quelque chose d'entier. Les trois avec des teintes de bleu et de blanc me rappellent la mer, ma maison, mon enfance, ma mère. Celles avec du gris et du noir me font penser à mon père. C'est mélancolique. Léger.

Dans la partie inférieure de chaque toile était inscrit « Davide ». Sa signature me rappelait un commentaire que je m'étais gardé de faire en discutant avec lui sur Internet.

— Ton prénom sonne plus italien qu'iranien, on dirait.

— C'est vrai. Ma mère est née en Sicile, mais elle a passé sa jeunesse en Suisse italienne, avant d'aller étudier à Genève. Mon père l'a rencontrée en allant travailler à là-bas comme ingénieur. Quand je suis né, ils ont décidé de me donner un prénom italien pour que ce soit plus simple.

— Mon arbre généalogique est pas mal moins exotique : ma mère a toujours vécu à Matane et mon père vient de Rivière-du-Loup. Il a quitté sa région pour faire de la photo et il est tombé amoureux d'elle.

— Parlant de photos, à quoi ressemblent les tiennes ?

— Je sais pas trop. On dirait que j'arrive jamais à mettre des mots sur ce que je fais.

— Alors, montre-les-moi.

— Non, pas maintenant, ça me gêne. Je les montre à peu près jamais.

— Émile, je viens de te montrer toutes mes peintures et je suis encore vivant...

— Mais j'ai pas mon appareil avec moi...

— Et tu vas me faire croire que tu ne mets aucune de tes photos sur Internet ?

Touché, coulé.

À court de prétextes, j'ai accepté de suivre Davide dans son bureau pour utiliser son ordinateur. J'ai tenté de me connecter à mon site Web privé en me trompant (vraiment) de mot de passe à trois reprises, j'ai cliqué sur un album contenant cent cinquante photos des six dernières années, je me suis tourné vers lui en grimaçant et je suis sorti.

— Fais-moi signe quand t'auras fini. Pis sois pas trop sévère…

— À vos ordres, caporal.

Davide a mis une demi-heure à survoler mes photos, pendant que je faisais les cent pas dans son salon.

Lorsque je suis retourné dans son bureau, il m'a regardé avec un petit sourire satisfait.

— Est-ce qu'on t'a déjà dit que c'était criminel de garder toutes ces photos-là pour toi?

Un frisson s'est faufilé de mes tempes à ma nuque.

— Bah… pas exactement dans ces mots-là, mais j'en connais deux ou trois qui commencent à me trouver gossant quand je dis que j'aime pas ce que je fais.

— Sérieusement, Émile, j'ai juste une chose à ajouter, dit-il en me tendant la carte d'une agence de photographes reconnue à Montréal. Appelle-les. Dis-leur que c'est moi qui t'envoie. C'est sûr qu'ils vont te trouver du travail.

— Les agences prennent seulement des photographes qui ont déjà un nom dans le milieu…

— Celle-là va faire une exception pour un talent comme le tien. Crois-moi.

C'était maintenant officiel: l'humanité tout entière conspirait pour m'obliger à devenir photographe.

Je ne me laisserai pas faire…

::

Mes yeux ne savaient plus où donner de la tête. Je déambulais entre les étagères où se trouvaient des centaines d'œuvres classées par réalisateur, par acteur et par pays : Martin Scorsese, Audrey Hepburn, Gus Van Sant, *Gone With the Wind*, Charlie Chaplin, Bette Davis, *Le Bon, la Brute et le Truand*, *La vita è bella*, Guillermo del Toro. Je m'extasiais devant chaque section, chaque rangée. Trois heures après mon arrivée à la Boîte noire, je suis reparti les mains pleines, les poches vides et le sourire aux lèvres. J'étais l'heureux propriétaire d'une impressionnante variété de classiques du siècle dernier : *Modern Times*, *Breakfast at Tiffany's*, la trilogie des *Godfather*, *Taxi Driver*, *When Harry Met Sally*, *2001: A Space Odyssey*, *A Clockwork Orange*, les trois premiers *Star Wars*, *The Bridges of Madison County*, *Pulp Fiction*, *The Silence of the Lambs*, *The Birds*, *Elephant*, *Requiem for a Dream*, *Y tu mamá también*, *Alien*, *Saving Private Ryan*, *In the Mood for Love*, de vieux westerns et quelques films japonais dont j'avais déjà oublié les titres. Le sac à dos rempli d'un fragment de mon héritage, je profitais des dernières journées chaudes de l'été en marchant sur le Plateau, puis dans Centre-Sud. Enivré par les rayons du soleil sur mes joues et le petit vent frais dans mon cou, j'ai eu envie de revoir celui qui m'avait conseillé de visiter la Boîte noire.

Quelques heures plus tard, je fouillais dans mon iPod afin de trouver les meilleures chansons pour accompagner mes humeurs jusqu'à notre rendez-vous. Étant donné que les titres rythmés risquaient de faire plafonner mon énergie trop rapidement et que les ballades amoureuses exposaient mes attentes à une série d'espoirs inopportuns, la roulette de mon jukebox portatif s'est arrêtée sur une série de chansons pratiquement inoffensives : *Scarborough Fair* de Simon & Garfunkel, *Viva Forever* des Spice Girls et *Nous sommes* de Stéphanie Lapointe. Je montais l'escalier du métro Vendôme, le cœur battant la chamade et le souffle lent. Mes organes internes prenaient un malin plaisir à se contredire.

C'est lui.

Une minute avant l'heure, je l'ai vu arriver, des bottes de cuir noires, un pantalon brun très ajusté et un t-shirt volontairement délavé. Du haut de sa mâlitude, il m'a fait la bise en tâchant de s'approcher le plus possible de mes lèvres sans les toucher.

— Pourquoi ici? demanda-t-il.

— Tu vas voir…

Sans rien ajouter, il m'a suivi sur une quinzaine de coins de rue, jusqu'à ce que je me tourne vers lui.

— On est rendus.

Nous étions à l'entrée du parc Westmount.

— C'est mon endroit préféré à Montréal.

Quelques saules pleureurs, de vieux édifices en pierre et un silence absolu conféraient au lieu une atmosphère mélancolique.

— Ça te ressemble, je trouve. C'est beau et triste à la fois…

Je ne savais pas comment répondre autrement qu'en acquiesçant d'un sourire gêné.

— Mais quand tu souris comme ça, glissa-t-il tout doucement, il y a quelque chose qui efface la tristesse au fond de tes yeux.

— C'est joli…

— Tu n'aurais pas dû m'inviter ici…

— Pourquoi?

— Parce que j'ai envie de t'embrasser depuis qu'on est arrivés…

Oh.

— C'est probablement l'ambiance du parc qui t'inspire…

— On va dire que c'est ça, ajouta-t-il en me tournant le dos.

Agace.

Après avoir discuté près d'une heure dans le parc, nous sommes retournés vers la réalité des rues piétonnes et commerciales de Westmount en croisant une demi-douzaine de cafés fermés, peu après vingt-deux heures.

On se croirait en banlieue…

— Il nous reste une seule option, dit Davide en montrant du doigt le casse-croûte de l'autre côté de la rue.

— T'es sérieux ? Tu veux vraiment jaser devant un hamburger ?

— Tu peux manger des pogos et des frites si tu préfères…

C'est finalement devant une poutine au poulet et un hot dog relish moutarde que notre deuxième rencontre s'est poursuivie. Davide effleurait ma main avec un talent magistral pour me laisser croire que son geste n'était pas prémédité. Ses lèvres me regardaient pendant que mes yeux les mangeaient. Nous avons perdu contact avec la réalité. Jusqu'à ce que je remarque l'heure sur mon téléphone.

— Merde ! Le métro ferme dans dix minutes. Faut se dépêcher !

En deux temps trois mouvements, nous avons payé et couru comme des fous jusqu'au métro Vendôme. À notre arrivée, mon cellulaire affichait minuit trente-huit.

— *Shit !* Le dernier métro vient de passer.

— Il me reste 10 $, si tu veux prendre un taxi…

— C'est gentil, mais non. Tu pourras pas rentrer chez toi sans ton argent.

— Alors, monte avec moi.

— Mais je…

— Il n'y a pas de « mais ». Viens à la maison, je te prête mon lit et je vais dormir sur le canapé.

Pendant le trajet, mes valeurs tentaient de rappeler à mes idées croches que du sexe aussi rapide n'augurait jamais rien de sérieux. Lorsque nous sommes arrivés chez lui, je sentais mes convictions faiblir seconde après seconde.

— Tsé, tu pourrais peut-être dormir avec moi… proposai-je en insistant sur le mot « dormir ».

— Peut-être…

Question d'être sages, nous avons éteint la lumière avant d'enlever nos vêtements et pris place dans le lit en faisant bien attention ne pas nous toucher. La situation était ridicule. Le corps à moitié nu de

Davide se trouvait à quelques centimètres du mien. Je fixais le pla-fond en rassemblant tout mon courage.

— J'ai une question pour toi: tantôt dans le parc, quand tu m'as dit que t'avais envie de m'embrasser… pourquoi tu l'as pas fait?

— Parce que je n'avais pas envie de tout gâcher en t'embrassant trop vite.

Tu ne me vois peut-être pas là, mais je te fais une face de gars perplexe.

— Non pas que l'idée soit désagréable, ajouta-t-il, mais je veux plus que ça.

— Et maintenant… je veux dire, avec quatre heures de plus à la soirée…

Davide s'est tourné vers moi en installant quelque chose de mou contre mon dos.

— Viens-tu vraiment de mettre un oreiller entre toi et moi?

— Non… seulement entre ton sexe et mon sexe. Faudrait pas qu'ils se parlent de trop proche, ces deux-là, sinon ils vont nous for-cer à faire connaissance.

Mon éclat de rire était sur le point de se transformer en explo-sion de phéromones. Malgré les limites qu'il tentait de nous imposer, Davide s'est approché de mon visage. Son souffle réchauffait mon cou, ses mains caressaient ma joue et ses lèvres se liaient aux miennes. L'oreiller entre nous s'aplatissait, s'aplatissait, s'aplatissait…

— Émile, soupira-t-il, il faut qu'on arrête.

Il avait raison, mais ma bouche refusait d'être d'accord.

— Tu ne dis rien?

— Je vois pas ce que je pourrais répondre que je vais pas regretter demain matin.

— On devrait dormir…

Soupir en simultané.

Davide m'a tourné le dos en lançant la discussion dans une direc-tion chaste et non compromettante.

— As-tu appelé l'agence?

— Non. Je crois pas que ce soit fait pour moi. J'ai suivi ton autre conseil, par contre : je suis allé à la Boîte noire et j'ai acheté plein de films ! Je suis sûr qu'il y a quelque chose à faire avec ça.

— Si j'étais tombé sur tes photos avant, je ne t'aurais jamais conseillé d'étudier en cinéma.

— Ça doit être ça, le destin...

Plusieurs messages textes avaient fait vibrer le cellulaire de Davide entre deux heures trente et quatre heures du matin. Il avait délibérément tourné le dos à ce qui ressemblait à des plans cul de fin de soirée. Lorsque mes hormones se sont calmées, j'ai finalement cédé aux charmes de Morphée.

Il était passé midi lorsqu'un bruit de porte m'a réveillé.

— Bon matin.

Davide s'approchait avec un plateau contenant une tasse de thé et le cahier Arts de *La Presse*.

— J'aurais voulu t'offrir des crêpes avec du sirop d'érable, des confitures et un jus d'orange fraîchement pressé, mais je n'ai rien de tout ça ici... Je me souvenais que tu ne buvais pas de café et je me suis dit que si tu n'aimais pas parler le matin, tu aurais quelque chose d'intéressant à faire.

J'étais séduit. Une fois de plus.

— T'es réveillé depuis longtemps ?

— Environ une heure. Je me suis douché et je suis allé chercher le journal à la tabagie du coin. J'avais l'impression que tu allais dormir encore un peu, alors je me suis permis de quitter l'appartement quelques minutes.

— Des plans pour que je me réveille sans savoir où j'étais !

— Bah... cette nuit, tu répétais mon nom dans ton sommeil, alors je me suis dit que tu n'aurais pas ce problème-là.

Je me suis levé spontanément avec un oreiller dans les mains pour répliquer.

— Même pas vrai !

— Émile ! dit-il en pointant ma nudité presque totale.

— Bon ! Regarde ce que t'as fait ! T'as tout vu, là…

— Hé ! Petit Prince, habille-toi et finis ton thé au lieu de faire ton mélodramatique.

Un homme capable de me remettre à ma place sans me brusquer, agréable sentiment que voilà.

— D'accord… dis-je en enfilant mon pantalon le plus rapidement possible.

— Pas obligé de te dépêcher non plus. Je suis capable de me retenir en te voyant te rhabiller, tu sais…

— Viens donc me dire au revoir au lieu de raconter des niaiseries.

— En passant, pendant que tu dormais, j'ai écrit à un ami qui travaille à l'agence de photographes.

— QUOI ?!?!

— Il va t'appeler bientôt.

— Qu'est-ce qui te dit que je vais répondre ?

— Je lui ai expliqué que tu avais le genre de talent qui passe tous les vingt ans et qu'il allait devoir te botter les fesses pour te convaincre de travailler un peu.

— Tu peux lui raconter ce que tu veux… De toute façon, s'il voit pas mon travail, il pourra jamais confirmer ce que tu dis, pis il va m'oublier.

— Ouin… Pour ça, il aurait fallu que tu restes dans le bureau quand je regardais tes photos. Comme ça, tu m'aurais empêché de lui en envoyer quelques-unes par courriel.

— T'as pas fait ça !?

— Tu me remercieras plus tard…

J'ai quitté l'appartement de Davide porté par un mélange d'excitation, de trouille et de fierté.

À l'exception de Charles, la dernière fois où mon petit cœur avait palpité autant pour un homme, c'était pour The Police Man.

Quelques centaines d'années-lumière semblaient s'être écoulées depuis que la *mamma* m'avait mis en contact avec le beau policier.

— Si tu veux, je pourrais lui demander ce qu'il devient, m'avait-elle un jour proposé. Je peux pas croire que ça n'a pas fonctionné vous deux. Le match était parfait.

Pour une fois que je ne ressassais pas le passé, je n'allais certainement pas faire l'erreur d'y replonger. The Police Man n'était rien d'autre qu'un souvenir. Beau, grand et séduisant, mais un souvenir quand même.

— Imagine que ton policier rapplique un jour et que t'es célibataire. Tu vas faire quoi ? Le repousser ?

— Aucune idée… Pis c'est ben correct comme ça. Si je m'empêche de vivre en espérant qu'il revienne, je vais bousiller tout ce qui pourrait m'arriver.

::

Le souvenir d'un baiser sur le pas de la porte trônait quelque part sur mes lèvres. Je n'avais plus qu'une envie : le revoir. Et vite. Deux jours avaient passé depuis ma nuit chez Davide. Je comptais les heures.

Quand j'ai ouvert mon ordinateur en fin de soirée, trois messages attendaient dans ma boîte de réception : un pourriel m'invitant à visiter un site de femmes gonflées, une confirmation de mon nouveau statut de membre à la Boîte noire et un message dont l'objet m'intriguait autant qu'il m'inquiétait.

15 h 32 — mardi 5 octobre 2011

À : Émile Leclair (mile_et_une_nuit@hotmail.com)
De : Davide Kermani (hereandthere@gmail.com)
Objet : Le temps d'une saison

Émile,
Une affaire de succession vient de me tomber dessus. Je dois immédiatement aller en Iran pour au moins trois mois. Et pour être honnête,

je n'aime pas beaucoup les courriels… Je suis désolé. Ce n'est pas ce que j'espérais t'écrire après notre dernière rencontre. J'avais sincèrement envie d'autre chose.

Je t'embrasse.

Tout doucement.

Cette annonce créait une onde de choc dans mon esprit. Davide n'avait même pas pris la peine de m'avertir de son départ de vive voix.

Envie d'autre chose, mon œil!

Pendant qu'une boule de tristesse établissait ses quartiers généraux dans ma gorge, des relents de mon histoire d'amour non réciproque avec Charles sont remontés à la surface : un mois d'angoisse et six mois de récupération. Sachant trop bien que mes pensées mélancoliques pouvaient avoir l'effet d'un naufrage dont il serait difficile de me relever, j'ai choisi de prendre les grands moyens pour éviter de me noyer. Au programme de mon sauvetage : de la musique grise, des pensées grises et tout un tas d'émotions grises pendant une semaine. Sept jours à éviter les sites de rencontres. Sept jours à me rouler en petite boule dans mon lit. Sept jours à me réveiller la nuit pour engueuler la vie. Sept jours à raconter mon histoire en détail à Charles, Clara, Lilie, Bryan et la *mamma*. Sept jours à prier pour que Montréal soit inondée de pluie afin que je puisse sortir sans que personne ne voie mon air d'enterrement. Sept jours à écouter en boucle *Alone Again (Naturally)*, *The Blowers Daughter*, *Pointant le Nord*, *I Only Want to Be With You*, *Dis tout sans rien dire*, *La Lettre* et *La Pluie*. Sept jours à sentir les larmes mouiller mes joues, à perdre mon souffle, à craindre de m'étouffer dans ma tristesse. Une semaine à faire honneur à la grisaille qui voilait mes humeurs, avant de procéder à la coupure définitive. Je n'avais pas d'autre choix que d'enfermer Davide dans un tiroir de mon esprit et d'y faire fondre la clé. Affronter. Pleurer. Accepter. Laisser aller. Et me relever.

:::

J'étais congestionné, ma voix m'avait déserté et mon corps ressemblait à un chantier de courbatures. Des millions de microbes s'étaient fait *chummy-chummy* avec les vieux kleenex qui traînaient un peu partout dans mon appartement. Mes seuls désirs consistaient en un minimum de répit et un maximum de survie. Chacune de mes journées se résumait à *vedger*, lire et clavarder. J'amorçais une discussion, je partais dans la lune, je regardais de nouveaux profils et je déblatérais sans profondeur pendant des heures. C'est ainsi planté devant mon bureau, occupé par un amalgame de rien et distrait par une surdose de n'importe quoi, que j'ai pris conscience du vide de mon quotidien. Être trois mois sans emploi avait rendu ma vie aussi futile que celle d'un bovin de boucherie : je dormais, je mangeais, je ruminais, je faisais du surplace et j'allais bientôt me retrouver en petits morceaux si je ne réagissais pas.

By the way : te trouver un chum pour compenser n'est PAS une option !

La date limite pour m'inscrire à la session d'hiver à l'université était encerclée de jaune fluo sur mon calendrier. J'angoissais chaque jour un bref instant au sujet de mon avenir, j'analysais la liste des possibilités, je dressais des tableaux de « pour » et de « contre », et je me faisais rattraper par un ramassis de conseils : « Arrête de réfléchir ! », « Peux-tu s'il te plaît te poser moins de questions ? » et, mon préféré, « *Could you please enjoy life a little more, kiddo ?* » Au final, la meilleure solution pour décrocher avait un nom : Bryan.

Avec lui, je me laissais avoir l'air de n'importe quoi. Je me donnais le droit de déblatérer ou de ne rien dire. Je me contentais de respirer et d'exister. Je passais la journée à ses côtés sans chercher à me faire aimer. Je ne craignais pas qu'il finisse par m'oublier. Je savais que, dès le premier jour, il avait été charmé. J'avais trouvé le moyen de l'intéresser sans y penser. De me lier à lui sans m'obliger à douter. J'avais trouvé mon homme. Celui que j'avais appelé en exigeant une journée de gars le plus vite possible. Il m'avait dit oui sans réfléchir et me proposait de passer chez lui en fin d'avant-midi.

J'attendais sur le pas de sa porte ; un mélange de nervosité et de fébrilité me faisait frissonner. Bryan m'avait ouvert en me tendant une poignée de main virile, en collant son torse sur mon petit cœur hyperactif et en me donnant une tape dans le dos.

— Tu veux une bière, *kiddo* ?

J'étais trop fatigué pour l'empêcher d'associer l'adjectif « alcoolisé » au début de notre journée.

— Nahh, j'aime pas ça… Mais si tu m'offres du rhum avec du jus d'orange, *I'm your man* !

Il me regardait avec un sourire de gagnant, fier d'avoir convaincu le novice que j'étais de se laisser saouler. Habillé de ses vêtements du dimanche, mon ex-collègue portait un short de sport, un t-shirt des Bulls de Chicago et une casquette des Canucks de Vancouver, qui s'agençaient merveilleusement bien avec mon jogging gris, mon t-shirt blanc et mon kangourou. Bryan vivait dans un grand loft bon chic bon genre, meublé d'un long canapé de cuir noir, d'un écran de télévision gigantesque, d'un tapis roulant, d'une table sur laquelle traînaient deux coupes de vin à moitié remplies, avec une mezzanine où des dizaines de jolies Montréalaises avaient sans doute déjà passé la nuit.

Une première bière à la main, mon hôte m'énumérait les jeux de Wii qu'il possédait. J'avais le choix entre faire un fou de moi aux quilles, me ridiculiser au tennis ou constater l'état lamentable de ma condition physique.

— T'as pas un truc qui me permettrait de me défouler sans être complètement poche?

De toute évidence, si un jeu existait à la Wii, au Nintendo DS, au PlayStation 3, au Xbox 360 ou à n'importe quelle autre console, Bryan en était l'heureux propriétaire.

— T'es tellement *geek*!

Heureusement pour mon absence de talent en jeux vidéo, les règles de celui que nous avions choisi se résumaient à tuer le plus grand nombre de poulets volants en trente secondes. Un véritable plaisir de cerveau débranché, agrémenté d'un taux d'alcoolémie qui ne cessait d'augmenter. Puisque le perdant de chaque partie devait boire trois gorgées, je me suis senti *feeling*-cocktail-pompette-limite-franchement-saoul avant le milieu de l'après-midi.

— Je suis vraiment nul…

Lorsque mon hôte a eu l'idée de jouer à *Mario Kart* au Nintendo 64, j'ai réussi — grâce à l'intervention du dieu des faux *geeks* — à remporter trois championnats sur quatre, l'obligeant ainsi à me rattraper en termes de consommation. Nous étions tous deux perdus quelque part entre les craques de son canapé, noyés par l'alcool, souffrant de nos pouces endoloris et ne désirant plus qu'une chose: calfeutrer les parois de nos estomacs.

Trente minutes après avoir mangé une raclée, Bryan est allé répondre aux livreurs des trois restaurants où nous avions commandé notre festin: une pizza pepperoni/bacon/viande hachée/viande fumée, un combiné rouleaux de printemps/poulet aux arachides/soupe aux kleenex (won-ton pour les puristes) et une mixture indienne au nom impossible à mémoriser.

Nous nous sommes installés, au terme de notre orgie alimentaire, devant trois films de gars: *Mr. & Mrs. Smith,* qui nous imposait de partager notre attention entre Brad Pitt et Angelina Jolie, *Inception*, qui s'avérait beaucoup trop complexe pour l'état d'éveil dans lequel nous nous trouvions, et *Clash of the Titans,* qui n'avait d'intéressant que les cuisses musclées de Sam Worthington.

— Sérieux, c'est tellement mauvais que toi-même tu dois tri-per sur le gars... Y a juste ça de l'*fun* à voir!

— *In your dreams, kiddo...*

Malgré la quantité de fantasmes que je cultivais à l'égard de Bryan depuis des mois, je n'avais espéré rien d'autre qu'une jour-née sans flafla. Je suis retourné chez moi vers les deux heures du matin en me retenant pour ne pas crier à tout le voisinage la fierté qui m'habitait: j'avais enfin réussi à m'amuser sans me poser de questions.

CHAPITRE 16

Réveil.

When Harry Met Sally, véritable mère de toutes les comédies romantiques des vingt dernières années, dans laquelle Meg Ryan — époque précollagène et préBotox — simule l'orgasme dans un restaurant bondé. Un véritable bijou du cinéma.

Dîner.

Changement de genre avec *A Clockwork Orange*, de Stanley Kubrick. Des hommes saccagent, gueulent, violent et tuent pour le plaisir. Après cinquante minutes, j'en ai eu assez.

Souper.

Ma journée de cinéphile averti s'est conclue avec *Y tu mamá también*, film de Pedro Almodovar mettant en vedette le sublime Gael García Bernal et l'inoubliable scène de douche avec Diego Luna.

Dodo.

Les jours suivants, je me suis laissé séduire par le charme incandescent d'Audrey Hepburn dans *Breakfast at Tiffany's*, le talent indiscutable de Meryl Streep dans *The Bridges of Madison County*, la réalisation troublante d'Alfred Hitchcock dans *The Birds* et l'effet maladivement captivant de *Requiem for a Dream*.

En prenant conscience que je jouais à l'ermite devant la télé depuis une semaine, je me suis extirpé de mon canapé, j'ai trouvé le marqueur le plus foncé et j'ai tracé une croix sur mon avenir à l'université. Même si ma visite à la Boîte noire m'avait permis de découvrir un intérêt véritable pour les vieux classiques et les réalisateurs obscurs, jamais je n'avais démontré le moindre intérêt pour les *making-of* de ces films.

Fuck les études en cinéma… T'es un photographe, Émile Leclair, comprends-tu?

::

Après six jours à espérer un appel de l'agence de photographes, l'afficheur de mon cellulaire m'a indiqué que le grand jour était enfin arrivé.

— Oui allô?

— Émile Leclair? Je m'appelle Éli Champagne. Je suis propriétaire d'une agence de photographes à Montréal. Je sais pas si t'es très occupé ces temps-ci, mais j'aimerais ça faire un essai avec toi. J'ai pris le temps de regarder ton travail. Je trouve ça intéressant…

— Ce sont de vieilles photos. La plupart datent de deux, trois ans. Elles sont pas si bonnes…

Mais ferme-la!

— Bon, la première règle si tu veux travailler avec nous: évite de ramener tes insécurités au travail. Si nos clients commencent à douter des capacités de nos photographes, on est aussi bien de mettre la clé dans la porte tout de suite.

— Je suis désolé…

— Mais non… c'est normal. Faut juste que tu te bottes les fesses et que tu comprennes que t'as du talent. En tout cas, assez pour que je prenne dix minutes de mon vendredi matin pour t'appeler et faire de la psycho pop avec toi…

Effet défibrillateur sur mon estime personnelle.

— Est-ce que ma proposition t'intéresse?

— Disons que... ça fait une semaine que j'essaie de me convaincre que je vis pour autre chose que votre appel... Je suis hyper flatté d'apprendre que vous aimez ce que je fais.

— Es-tu parent avec Paul Leclair, par hasard?

Petit pincement au cœur.

— C'est mon père...

— J'ai travaillé avec lui dans le temps. C'est lui qui t'a tout montré?

— On peut dire ça, oui. J'ai commencé à faire de la photo quand j'avais douze ans, en le suivant un peu partout.

— C'est probablement pour ça que ton travail ressemble pas à celui d'un débutant... Une petite question comme ça : à part tes projets personnels, as-tu fait quelques contrats? Des mariages, par exemple?

— Pas beaucoup, mais juste assez pour avoir plein d'anecdotes de matantes saoules qui veulent me pogner les fesses...

— Alors t'es familier avec le festival de la perfection et de l'hystérie?

La mariée qui fait tout pour dompter la couette qui dépasse ou le bourrelet qui déborde. La maman qui n'a jamais été photogénique et qui doit soudainement apprendre à sourire sans grimacer. Le papa à qui on demande de regarder sa femme avec un regard amoureux, même s'il ne se souvient plus comment faire. La demoiselle d'honneur qui ne peut retenir sa réaction allergique à deux des cinq variétés de fleurs qu'elle colle sur sa poitrine depuis cinq minutes.

— Oh oui! J'ai même eu la chance d'entendre au moins dix versions différentes des chansons d'amour les plus populaires de Jean-Pierre Ferland, Ginette Reno, Marjo, Céline Dion et Nicolas Ciccone...

— Si jeune et déjà désabusé du mariage...

— Mais non, mais non... il y a quand même plein de beaux moments.

Le meilleur ami qui raconte un souvenir qui aurait dû rester un souvenir. La première danse où tout le monde est attendri par une valse qui n'a rien d'une valse. La cousine alcoolisée qui s'est fait refaire les seins et qui s'assure que je le sache.

— Certaines soirées peuvent être agréables, même si tout le monde veut les mêmes concepts de photo...

L'homme qui enlace sa nouvelle femme par-derrière. Les amoureux qui se regardent avec intensité. La femme assise sur le gazon entourée des froufrous de sa robe. Les amies de la mariée qui font semblant de courir ou de se battre pour attraper le bouquet. Les amis du marié qui extériorisent leur virilité dans leur smoking de pingouin. Les tourtereaux qui marchent main dans la main dans un champ...

— Tu dois avoir fait pas mal de photos de famille aussi, non ?

— Seulement trois ou quatre fois... Je trouve ça trop déprimant.

Le bébé qui braille. La fillette qui engueule son petit frère, parce qu'il a eu le malheur de marcher sur sa robe. La mère qui s'emporte et qui veut attendre que ses joues dérougissent avant que la séance reprenne. Le père qui lève le ton pour faire comprendre à sa marmaille que tout doit être bouclé en trente minutes. Le photographe qui fait une vingtaine de clichés en sachant très bien que le résultat sera beige et dénué d'originalité. La mère qui sort le chéquier sans trop se soucier du résultat, trop pressée de quitter l'endroit où sa famille lui a prouvé qu'elle n'était pas parfaite.

— T'es à l'aise avec quel genre de projets ?

— Surtout des photos spontanées, des lieux ou des paysages. Mais j'aime aussi faire des séances de photo individuelles. Quand je peux prendre mon temps, suggérer des idées, jouer avec l'éclairage et faire plusieurs changements de vêtements ou de décors, ça m'amuse.

— Ton côté artistique doit être plus fort que tes ambitions commerciales...

— C'est mal ?

— Pas du tout. L'agence obtient très peu de contrats de mariage ou de photos de famille. J'ai quand même toujours pensé que c'était la meilleure façon d'apprendre le métier... Alors, te sens-tu prêt pour un premier contrat ?

— Je pense que oui...

— *Good!* Tu vas commencer avec quelque chose de relativement simple : les photos de *casting* de trois acteurs dans une agence. C'est dans dix jours.

— Génial !

CHAPITRE 17

— Je fréquente quelqu'un, Émile. Depuis bientôt deux mois.

Les paroles de Charles étaient prises quelque part entre ma tête et mon cœur. Je sentais mes émotions alterner entre la surprise et la joie, en passant par un léger soupçon de jalousie, avant de s'arrêter sur un sentiment de calme serein, presque dénué d'amertume et d'envie. Il m'apparaissait désormais urgent de faire connaissance avec celui qui avait charmé mon meilleur ami. Comme je partais en Gaspésie le lendemain après-midi pour me vider l'esprit avant mon premier contrat, je n'avais d'autre choix que de précipiter notre rencontre.

Cinq minutes avant d'arriver chez Charles, je lui ai envoyé un message texte :

« Arrange-toi pour habiller tout ce qui doit être habillé. Je m'en viens. Avec du café et des croissants. »

Dix coins de rue plus loin et un escalier plus tard, je rencontrais Nouveau Copain pour la première fois.

— Salut, moi c'est Émile…

— Toi, tu dois être l'ami gaspésien mélodramatique, mais tellement attachant dont Charles m'a parlé hier, lança-t-il avec un ton moqueur.

— Impressionnant ! J'ai déjà envie de te donner ma bénédiction et de vous laisser…

— Émile, intervint Charles, tu viens de nous obliger à mettre du linge avant dix heures, un samedi. Fais-nous donc l'honneur de ta présence.

— Ça, c'est une façon gentille de me dire : «Émile, pour une fois que c'est pas moi qui fais à manger, peux-tu s'il te plaît aller porter tes fesses, tes cafés, pis tes croissants dans ma cuisine ?»

Pendant le déjeuner à l'ambiance bon enfant, j'ai fait la connaissance d'un jeune homme allumé, drôle et indubitablement charmant. Nouveau Copain m'avait plu instantanément.

::

Attablés devant une montagne de sushis et deux mojitos, Lilie et moi avons profité de mon bref passage en Gaspésie pour manger comme s'il n'y avait pas de lendemain.

— Ta mère t'a probablement dit que c'était fini entre Jean-François et moi.

Un mois après sa rupture, mon amie acceptait finalement de se confier.

— Oui…

— Et tu t'es retenu de m'appeler pour tout savoir ? C'est nouveau, ça.

J'avais toujours cru qu'ils n'étaient pas faits pour être ensemble. Qu'aurais-je pu lui dire de plus ?

— Tu vas bien ?

— Bof… si on veut. J'essaie de me changer les idées en préparant mes auditions au Conservatoire.

— Euh… depuis quand t'as recommencé à jouer de la flûte, toi ?

— Ben, après avoir laissé J-F, j'ai eu envie de répéter. C'était vraiment *rushant* au début, mais ça va mieux maintenant.

— Est-ce que je vais pouvoir t'écouter jouer avant de repartir ?

— Aucune chance… J'ai toujours détesté qu'on me voie jouer. Je vais certainement pas commencer ça aujourd'hui.

— Orgueilleuse !

— Fouineur !

— Je te dirai pas ma grosse nouvelle d'abord…

— T'as reçu l'appel d'un agent… Je sais, ta mère me l'a dit.

— Ah ! Veux-tu bien me dire à quoi ça sert de lui demander d'être discrète si elle raconte mes histoires à n'importe qui ?

— Premièrement, je suis pas n'importe qui. Deuxièmement… BRAVO ! Je suis tellement contente pour toi !

— Assez pour me féliciter en me laissant t'écouter jouer ?

— Dans tes rêves !

Notre soirée s'est poursuivie dans un bar miteux où nous pouvions danser sur les vieux succès de Marjo-époque-Corbeau, des B.B. ou de Roxette. Nous nous déhanchions sur une vieille chanson de Corey Hart lorsqu'un gars vraiment louche nous a rejoints sur la piste de danse : grand, trop mince, efféminé, les cheveux noirs montés en piques, assurément plus jeune que moi, du maquillage plein le visage. Il était l'exemple parfait de ce qui me donnait envie de pleurer.

— Un *emo* gai à Matane… Il doit tellement se faire écœurer.

Âgé d'à peine seize ans, l'inconnu s'approchait en me fixant du regard.

— T'es beau en crisse, toé ! Tu dois être nouveau dans le coin, parce que je t'ai jamais vu avant.

Jésus, Marie, Joseph…

— Je suis seulement de passage…

— Tu veux-tu un p'tit *drink* ?

— C'est gentil, mais comme je suis pas souvent ici, je vais profiter de ma soirée avec mon amie…

— OK, OK, *cool*. Si tu changes d'idée, viens me voir.

Le petit jeune s'est éloigné en m'envoyant un baiser pendant que les premières notes de *Total Eclipse of the Heart* grinchaient dans les haut-parleurs. Sans trop savoir pourquoi, j'ai eu le réflexe de me tourner vers Lilie.

— Vite, colle-toi! Faut pas qu'il pense avoir le droit de revenir.

— Wow! Demandé de même, je me sens presque désirée…

— Lilie… tu le sais que si j'étais hétéro, tu serais la première sur ma liste.

— T'es tellement niaiseux quand tu veux…

— Maudit plancher qui craque…

Pas moyen de rentrer à deux heures du matin sans que la rue au complet soit au courant.

— Émile Leclair, arrête de penser que ta mère se couche à dix heures un samedi soir…

La *mamma* se cachait dans la pénombre du salon.

— Qu'est-ce que tu fais?

— Je fignole un de mes projets pour le printemps.

Le mois dernier, elle avait finalement lancé sa petite entreprise: La jardinière d'à côté.

— Je viens d'avoir un contrat pour m'occuper de l'aménagement paysager du bureau d'assurances où le père de Lilie travaille. Ça va m'occuper de la fin mai à la mi-juin.

— Je pourrais peut-être venir t'aider entre deux projets photo…

— Euh… oui, peut-être… Mais, c'est pas toi qui viens d'assassiner une plante?

— Je suis sûr qu'elle s'est suicidée!

— Hum… ça doit être ça qu'on appelle un suicide assisté!

— *Anyway,* si tout va bien, j'aurai pas beaucoup de temps libre au cours des prochains mois. Tes légumes et tes petits arbustes peuvent dormir en paix.

— Je suis contente que tu donnes une chance à la photo finalement.

— Moi aussi. Mais j'aimerais mieux pas trop en parler, sinon je vais finir par m'inventer des histoires, stresser ma vie et donner ma démission avant même d'avoir commencé.

— Motus et bouche cousue.

:::

Je regardais la pluie rebondir sur la fenêtre de la salle à manger en me traînant les pieds jusqu'à la cuisine. Plutôt que d'affronter les humeurs de dame Nature, je suis allé manger des rôties en catimini dans le salon. La matinée sans bruit me semblait idéale pour retourner là où je refusais d'entrer depuis la mort de mon père. Les sept marches qui me séparaient de sa chambre noire me renvoyaient des images d'un petit garçon qui cognait à sa porte en attendant de revoir son air concentré. Au bout de quelques secondes, il m'ouvrait, me prenait dans ses bras et m'installait sur le comptoir derrière lui.

— Touche à rien, mon petit loup.

Timide, impressionné, mais fier de pouvoir l'accompagner, je restais là sans bouger. Lorsqu'il trouvait la photo tant espérée, il se tournait vers moi en me disant chaque fois la même chose : « Viens, on va aller photographier la plus belle *mamma* du monde. »

Les cartons de sa chambre noire débordaient de clichés de ses deux amours : des centaines de ma mère au cours des vingt dernières années et d'autres où on voyait un enfant sauter devant l'appareil, convaincu que le meilleur moyen d'attirer l'attention de son père était de mériter l'angle de son objectif.

— Tu me manques… chuchotai-je aux murs de sa chambre noire.

J'oubliais peu à peu ce qui me restait de mon père : sa voix grave et douce, son sourire discret, sa barbe qui m'éraflait la joue, ses bras qui me prenaient pour m'installer sur ses épaules. J'étais incapable de bouger, incapable de parler. Quelque chose était coincé au fond de ma gorge. Je savais ce que c'était, mais j'avais longtemps refusé de l'entendre. Une pensée, une réponse. Une obligation.

La seule façon de ne pas oublier, c'est de continuer.

Ce matin-là, je suis remonté à l'étage pour photographier la plus belle *mamma* du monde.

Sur le comptoir de la cuisine, où mon père et moi prenions le petit déjeuner tous les matins, se trouvait un exemplaire du journal local, laissé ouvert en page 8. «Un jeune homosexuel ovationné à la polyvalente de Matane», pouvait-on lire en caractères gras. Le 5 octobre dernier, Jean-Christophe Durocher, seize ans, avait livré un témoignage sur son expérience en tant qu'adolescent gai: le processus par lequel il était passé pour identifier son homosexualité, l'accepter et l'assumer. Capitaine de l'équipe d'impro, rédacteur en chef du journal étudiant, pas gêné pour deux sous, franchement populaire, Jean-Christophe était l'archétype de la réussite adolescente. Convaincu que cet élève avait le bagou qu'il fallait pour capter l'attention de ses camarades en livrant un discours sur l'ouverture, le directeur de l'école lui avait offert — sans le savoir — la tribune idéale pour faire sa sortie du placard.

Habile orateur, il avait trouvé le moyen de faire comprendre à quatre cents personnes qu'il n'était rien d'autre qu'un adolescent qui préférait les garçons. La conclusion de son discours avait été accueillie par des applaudissements discrets, qui s'étaient transformés en ovation monstre. Étudiants et enseignants s'étaient levés pour le féliciter, impressionnés par son audace, captivés par son propos et mis devant leur intolérance.

Tous les jeunes gais ne possédaient pas le tempérament de Jean-Christophe Durocher. Peu d'entre eux étaient assez forts pour endurer les insultes et les préjugés sans broncher. N'empêche, apprendre que l'un d'entre nous avait osé parler sans se faire rabrouer me rassurait quant à l'avenir de la race humaine.

CHAPITRE 18

De retour chez moi après quatre jours en Gaspésie, mes phéromones reprenaient du service avec une rare intensité. Comme je
n'en étais pas à mes premières expériences de gars-émotivement-
blessé-qui-veut-compenser-par-le-sexe, je me suis dit qu'un peu
de diversité ne me ferait pas de tort. Quelques clics ont suffi pour
dénicher ma nouvelle source de distraction : Couple31, un surnom que s'étaient donné un grand blondinet au sourire candide
et un petit trapu aux cheveux foncés pour mettre du piquant dans
leur relation. Grand31 m'a invité à passer chez eux moins d'une
heure après le début de notre première discussion.

Es-tu vraiment prêt pour ça, Émile Leclair ?

Deux hommes, deux paires de lèvres, deux sexes, deux corps,
quatre mains, mon plaisir ne pouvait être que décuplé… et la
vitesse à laquelle j'allais atteindre l'orgasme risquait de l'être tout
autant. Je n'avais jamais rencontré ce problème au cours des rares
expériences que j'avais à mon actif, mais je craignais sincèrement
de succomber trop rapidement lors de ce triumvirat sexuel.

Une demi-heure plus tard, je montais les marches du métro
Saint-Laurent. Mon cœur battait trois fois trop vite. Les mains
moites, la respiration saccadée, la démarche gauche, je me dirigeais
vers la maison de Couple31 en espérant ne pas me faire frapper par
une voiture, faute de vigilance. Quelques rues plus loin, l'adresse
que j'avais inscrite dans le creux de ma main apparaissait sous mes

yeux. J'essayais de me convaincre de la pureté de mes intentions lorsque Grand31 m'a ouvert la porte. Un regard profond, des cheveux plus roux que blonds maintenant que je l'avais devant moi, quelques taches de rousseur sur le visage, le même sourire rieur que sur ses photos, il confirmait ma théorie sur les roux.

Un beau gars, c'est bien. Mais un beau gars avec un petit quelque chose de marginal, c'est mieux!

— Bonjour Émile.

Pendant qu'il rangeait ma veste, Grand31 m'a expliqué que son copain était occupé à l'étage et qu'il allait nous retrouver quelques minutes plus tard. La première partie du duo en a profité pour me faire visiter les pièces du rez-de-chaussée, toutes décorées selon un courant artistique bien précis: des affiches des gros de Botero dans la cuisine, des reproductions de Picasso et de quelques proches parents du cubisme dans la salle à manger, un original de Riopelle dans la salle de séjour, une demi-douzaine de reproductions de toiles impressionnistes dans les couloirs. Même la salle de bain était faite pour attirer les regards: des murs d'un blanc immaculé, un lavabo conçu comme une œuvre d'art et une baignoire à remous qui avait l'air d'un petit spa intérieur.

— On pourrait prendre un bain pour se détendre un peu…

Nu comme un ver, de l'eau jusqu'au nombril, j'appréciais le corps de Grand31 en découvrant celui de son copain qui venait d'entrer dans la pièce. Tonifié, compact et exhalant la testostérone, Petit31 avait le torse poilu et la barbe chargée. Il ne me faisait pas autant d'effet que Grand31, mais il avait un je-ne-sais-quoi de profondément mâle qui m'excitait. Au lieu de s'approcher, Petit31 a lancé à son copain un regard qui disait « viens ici, faut que je te parle ». Trente secondes plus tard, Grand31 est revenu vers moi, l'air gêné.

— Émile, je sais pas comme te le dire, mais… mon copain n'est pas intéressé.

Tu me niaises? Tu me fucking *niaises!?*

J'étais dans la baignoire d'un couple d'inconnus, disposé à laisser tomber la plupart de mes barrières mentales en leur compagnie, et voilà qu'on m'annonçait que la deuxième moitié du duo ne voulait pas de moi.

— J'ai fait quelque chose de pas correct?

Pis je doute de moi en plus...

— Il pensait que tu serais plus musclé... Moi, je te trouve parfait, mais mon copain préfère les costauds.

Ah ben tabarnak!

Je me faisais rejeter parce que je ne possédais pas les biceps surdimensionnés, les pectoraux gonflés et les abdominaux d'acier dont Petit31 semblait raffoler.

— Je suis désolé... Je vais lui demander de m'attendre à l'étage pendant que tu te rhabilles.

Mon cellulaire affichait une heure vingt-deux. Le métro n'était plus en fonction depuis une bonne demi-heure. J'allais devoir marcher pour rentrer, sans avoir eu la chance d'en profiter.

Right now, it sucks to be me!

::

Y avait-il seulement une bonne raison pour endurer tout cela? Les rougeurs dans le cou, l'envie de gruger mes ongles jusqu'aux phalanges, le sang qui fait tout sauf circuler et l'envie de rester caché sous mes draps pour les siècles des siècles. J'avais réussi à ne pas angoisser pendant une semaine grâce à mon talent pour le déni, mais le jour J venait d'arriver. Pire qu'un premier jour d'école, pire qu'une première *date*, pire qu'une première relation sexuelle, ma première journée de travail en tant que photographe venait de commencer. Et quand j'utilisais le verbe «commencer», j'oubliais volontairement les quatre heures d'insomnie que mon corps venait de se taper, les trente minutes perdues sous la douche à essayer de me réveiller, le cache-cernes que j'aurais tant voulu posséder et le *pep talk* que j'avais fait à mes jambes pour les convaincre d'avancer.

Je suis entré à l'agence d'artistes au coin des rues Sherbrooke et Saint-André en tentant de faire appel à ma désinvolture des beaux jours. Une époque où je n'étais pas payé deux mille dollars pour faire deux heures de photo et du catinage de comédiens beaucoup trop conscients de leur image. J'installais mes projecteurs, ma toile de fond et mon trépied en écoutant la directrice de l'agence m'expliquer que trois de ses poulains avaient des photos si vieilles qu'elle était gênée de les envoyer aux réalisateurs et aux directeurs de *casting*.

Le premier, un comédien d'environ vingt-cinq ans, avait commencé le métier dans *Ramdam*. Il voulait faire évoluer son statut d'éternel adolescent à celui de jeune premier. Simple et naturel, il avait mis quinze minutes pour trouver la pose que souhaitait son agente.

Le deuxième, un homme sur qui ma mère avait probablement fantasmé lorsqu'elle avait dix-huit ans, m'avait fait travailler l'éclairage pendant quarante-cinq minutes pour atténuer les marques de vieillissement sur son visage. Chaque fois que je croisais le regard de la directrice, elle m'implorait de garder mon calme pour éviter que son protégé nous pique une colère.

Le troisième, l'archétype de l'acteur ayant besoin de séduire tout ce qui bouge pour se donner l'impression d'exister, m'avait supplié de prendre une trentaine de photos supplémentaires, parce que j'étais supposément le premier photographe qui avait su capter les multiples paradoxes de sa personnalité. Après une demi-heure d'extra, j'ai rangé mon équipement sans prêter attention à ses compliments.

Ce premier contrat s'était beaucoup mieux déroulé que je ne l'aurais imaginé. En plus de voir les quarante-deux symptômes de mon angoisse se calmer dès mon arrivée, je m'étais amusé à comparer le bureau de l'agence à celui de la série *Les hauts et les bas de Sophie Paquin*. Chaque fois que la porte d'entrée s'ouvrait, j'imaginais une version un peu fofolle d'Élise Guilbault faire une scène devant la réceptionniste. L'agente-pas-du-tout-sosie-de-Suzanne-Clément m'avait raccompagné vers la sortie en se disant ravie de mon travail.

Mon patron m'avait appelé en fin de soirée pour me dire que mes photos étaient impeccables et qu'il désirait me confier un autre projet.

Au moment d'aller au lit, j'ai chuchoté à mon inconscient que je pourrais peut-être aimer ça, finalement, être photographe...

::

8 h 55 — dimanche 10 octobre 2010

> **À :** **Émile Leclair** (mile_et_une_nuit@hotmail.com)
> **De :** Clara Dagenais (la.dolce.clara@hotmail.com)
> **Objet :** Il était une fois deux Montréalais...

Il était une fois deux Montréalais : le premier avait trop de temps pour lui, la deuxième n'en avait pas assez pour elle. Lui, il passait le plus clair de sa vie à penser aux hommes. Elle, elle passait le plus clair de la sienne à essayer de les comprendre. Il ne travaillait pas, il n'étudiait pas, mais il draguait. Elle travaillait pour étudier, elle étudiait pour travailler, mais elle ne draguait plus. Elle se concentrait sur son homme, son policier, son amour, celui qui la regardait avec un œil différent, celui pour qui elle n'était ni un trophée ni une raison de respirer, mais plutôt la plus belle motivation qu'il avait de se réveiller.

Je pense que je suis heureuse, Émile. Je n'ai pas une minute à moi, mais ça me va. Quand je ne relis pas mes notes de cours, j'assiste à un séminaire, j'écris un essai, je cuisine, je fais du ménage, j'aime et je dors. C'est ça ma vie maintenant.

Je pense souvent à toi et j'aimerais ça que tu me donnes de tes nouvelles. Même si c'est seulement pour me raconter ton cauchemar de la veille.

Je t'envoie une boîte de bisous par la poste.

Clara

11 h 36 — dimanche 10 octobre 2010

> **À :** **Clara Dagenais** (la.dolce.clara@hotmail.com)
> **De :** Émile Leclair (mile_et_une_nuit@hotmail.com)
> **Objet :** Re : Il était une fois deux Montréalais…

Clara,

C'est quasi impossible de te résumer les dernières semaines . En gros, j'ai eu plein de *dates* désastreuses. Je me suis fait cruiser par un *emo* gai en Gaspésie. Je suis encore accroc aux sites de rencontres, mais je me soigne. Pis… j'ai recommencé à travailler. Comme photographe. Je te raconterai quand on se verra. Ça ne paraît peut-être pas que je pense à toi souvent, mais c'est vrai.

On s'arrange pour faire quelque chose bientôt.

Je t'aime !

Émile

::

Tous les jours de la semaine, je me suis rendu aux bureaux du ministère de l'Éducation, du Loisir et du Sport pour réaliser le portrait d'une centaine de fonctionnaires. Outre l'horaire quasi militaire qu'on m'imposait pour que je consacre au moins dix minutes à chacun des membres du personnel, j'avais eu un plaisir fou. Si je faisais exception des tarlas qui ne comprenaient rien aux consignes que je leur donnais (le menton un peu vers le bas, le dos droit, les épaules légèrement de biais, les mains sur les cuisses et le sourire franc), la plupart de ceux qui croisaient ma lentille étaient si surpris d'être photographiés par un professionnel qu'ils affichaient une attitude décontractée. Même si j'avais le mandat de réaliser des portraits sans intentions artistiques, un léger soupçon de bonne volonté pour avantager mes sujets suffisait pour qu'ils m'offrent leur reconnaissance éternelle. Contexte de bureau oblige, je débutais à huit heures trente, je prenais des pauses le matin, le midi et l'après-midi, je remballais mes affaires à seize heures, épuisé par mes journées, mais nullement tenté de me plaindre de mon métier.

CHAPITRE 19

Nouvelle tentative de diversité masculine : *dater* un homme de presque quarante ans. Pattes d'oie, tempes grisonnantes, barbe fournie, regard profond, Éric possédait un *sex-appeal* indéniable. Visiblement plus en forme que je ne l'avais jamais été, il avait tout pour remplacer George Clooney à titre de représentant par excellence de la gent masculine vieillissante.

Je connais des femmes qui tueraient pour être à ma place !

Assis dans un restaurant français de la rue Saint-Paul, mon vis-à-vis faisait preuve d'un enthousiasme démesuré pour me résumer les moindres aspects de son existence.

— Je suis monteur à la télé depuis toujours. J'ai travaillé à Radio-Québec dans le temps, à Canal Vie et à Radio-Canada. Je vis à Contrecœur, dans une grande maison bien vide depuis le départ de mon ex. On a été ensemble pendant sept ans.

J'avais treize ans au début de son dernier couple…

— Ça me manque d'avoir quelqu'un à qui parler sur l'oreiller. Écouter l'autre raconter sa journée, se coller, faire l'amour, s'endormir en cuillères. Mon dernier chum était juste un peu plus vieux que toi quand on a commencé… Il avait vingt-deux ans.

— Tu fréquentes toujours des jeunes de mon âge ?

— Oui et non… J'ai eu une histoire avec un gars de dix-sept ans récemment.

— T'avais pas peur d'être accusé de détournement de mineur ?

— Je vois pas pourquoi... Il va avoir dix-huit ans dans trois mois, et je l'ai jamais forcé.

Mon inconfort m'empêchait de répondre quoi que ce soit.

— Qu'est-ce que tu veux que je fasse? J'ai besoin d'un gars spontané, avec qui je peux faire le party et qui a peur de rien. Je pense que je suis un ado pris dans un corps d'adulte.

Au moins, t'es au courant...

Puisque le sosie de George Clooney n'avait rien d'autre à offrir que son joli minois, je me suis arrangé pour engloutir l'entrée, le plat principal et le dessert en cinquante minutes. Entre sa conversation et un mal de cœur, le choix me semblait facile à faire.

Après avoir raconté ma soirée ridicule à Charles, je me suis arrangé pour avoir des nouvelles de ses histoires.

— Pis, comment va le Nouveau Copain? Ça fait comme mille ans que tu m'en as parlé.

— Bah, je sais pas. Tu lui demanderas... On n'est plus ensemble.

— Comment ça?

— Sérieusement, tu veux pas le savoir...

En période de déprime, Charles avait un *modus operandi* très précis: il s'enfermait dans sa coquille et broyait du noir pendant des jours. Cela ne valait même pas la peine d'essayer de le consoler ou de lui changer les idées. Il ne voulait rien savoir.

— Pis de toute façon, reprit-il, je vois pas ce que je pourrais faire avec ça, des histoires d'amour...

C'est drôle, je commence à penser la même maudite affaire.

::

Je me suis précipité dans un taxi lorsque j'ai entendu la voix tremblotante de Clara parler de menaces de mort sur ma boîte vocale. J'ai donné un extra au chauffeur pour arriver le plus vite possible et je me suis précipité vers son appartement. Assise sur une chaise de cuisine, les genoux ramenés sur sa poitrine, mon amie était en état de choc.

— Je sais que c'est n'importe quoi… mais je pouvais pas rester toute seule. Il est toujours à moitié saoul, il a de la misère à se tenir debout… On sait jamais ce que ça peut faire, du monde de même.

Quand elle s'était rendue à la laverie du sous-sol de son immeuble, une demi-heure plus tôt, Clara avait croisé l'homme qui vivait à côté de la salle de lavage. Dans un état second, il l'avait traitée de « petite blonde aguicheuse » en la menaçant de la tuer si elle revenait le déranger.

— As-tu appelé la police ? Ou ton copain ?

— Non… Je veux pas l'embêter avec ça.

— Et t'as pensé à moi pour te protéger ?

Clara riait du ridicule de la situation.

— J'ai pas réfléchi ! J'avais peur qu'il s'énerve et parte chercher un couteau… J'ai laissé tomber mon panier, je suis remontée en courant, pis je t'ai appelé.

— C'est correct… répondis-je en lui flattant le dos. Je vais téléphoner à la police, et ton copain pourra pas savoir que ça vient de toi, OK ?

Après avoir écouté le résumé de la situation, les policiers se sont dirigés vers le sous-sol pour rendre visite au locataire alcoolisé. Le temps d'abandonner sa chaise, de me faire un câlin et de replacer ses cheveux dans la salle de bain, Clara est revenue dans la cuisine pour entendre ce que les deux agents pensaient de la situation.

— Il a de la difficulté à se souvenir de son nom… Ça serait surprenant qu'il fasse quoi que ce soit, mais s'il vous menace encore, n'hésitez pas à nous rappeler.

Nullement satisfaite de leur analyse, mais tout de même rassurée qu'ils soient passés, Clara est allée se réfugier dans le salon en poussant un long soupir.

— Viens regarder la télé avec moi. J'ai pas envie que tu t'en ailles tout de suite…

::

Maintenant que les menaces de mort étaient choses du passé et que mes envies de *dates* farfelues s'étaient essoufflées, je pouvais me concentrer sur ma nouvelle préoccupation existentielle : trouver un colocataire intéressé par la deuxième chambre de mon quatre et demie, afin de combler mes besoins d'attention autrement qu'en me tournant vers les sites de rencontres. Deux jours après avoir demandé à mes différents contacts de faire circuler mon offre de location, un certain Laurent s'était présenté en me tendant la main d'un air gêné. Ce rachitique, mais non moins séduisant jeune homme, risquait de devenir mon premier colocataire à vie.

— En gros, on fait ce qu'on veut dans nos chambres, on garde les pièces communes en ordre, et tu payes ton loyer le premier du mois, pas un jour de plus.

J'étais pleinement décidé à éviter tous les problèmes de colocation dont j'avais entendu parler.

— Ça me va… De toute façon, je fais pas grand-chose d'autre qu'étudier, manger et dormir… Ma vie est un peu plate, dit-il en laissant filer un petit rire aigu.

Étudiant en psychologie, sérieux, facile d'approche, Laurent m'apparaissait comme le colocataire idéal. J'ai cru bon l'inviter à passer la soirée avec moi pour apprendre à mieux le connaître.

Vers la fin du souper, nos discussions ont été freinées par la pluie qui rebondissait bruyamment contre la fenêtre du salon. Quand j'ai vu que le ciel se déversait dans les rues de Montréal, je me suis imaginé courir dans l'eau sans bottes ni parapluie. Littéralement porté par ce qui me restait de candeur et d'insouciance, j'ai proposé à Laurent de me suivre dans ma folie.

Le temps d'enfiler des souliers pas du tout imperméables, nous sommes sortis le sourire fendu jusqu'aux oreilles, les yeux mi-clos et la pluie qui fonçait vers nous. En seulement deux minutes, nous étions mouillés de la tête aux pieds. Tout était parfaitement simple et léger. Jusqu'à ce que mon esprit m'envoie des images de Spider-Man en train d'embrasser Mary Jane, la tête à l'envers, lors d'un orage cinématographiquement mémorable.

Leclair, chasse ces images de ton esprit immédiatement!

L'impression d'avoir trouvé celui que j'espérais depuis toujours s'est mise à faire des allers-retours dans mon cerveau. Mignon, intello, simple et spontané, Laurent-tout-trempe me faisait plus d'effet que je ne l'aurais voulu de la part d'un futur chambreur.

Les minutes ont passé, notre envie de rentrer a pris le dessus, nos vêtements sont allés faire un tour dans la sécheuse, et nous nous sommes assis dans la splendeur de nos boxers humides sur le canapé. Les pantalons et les t-shirts de rechange pleuvaient dans ma garde-robe, mais l'idée de les proposer à Laurent ne m'est jamais venue.

Juré, craché.

Sans trop savoir comment ni pourquoi, j'ai surmonté la tentation de l'agripper par le slip, nous avons continué à placoter, nos vêtements ont séché, et je me suis retrouvé seul à gérer une envie qui était sur le point de me faire exploser!

Le lendemain, j'ai appelé Laurent pour vérifier s'il voulait toujours déménager chez moi. Malgré les quatre chemins et les trente-trois détours que nous prenions, nous avons verbalisé le danger de tomber dans une zone de colocation-attirance pleine d'ambiguïtés et pris la peine d'établir une règle bien claire: « On n'a pas le droit de se toucher. Jamais. Sous aucun prétexte. Même si on est en manque. Pis même au printemps… Sinon ça va créer un gros malaise. Pis on ne voudra plus vivre ensemble. »

Onzième commandement : tu ne coucheras point avec ton ou ta colocataire.

::

Le jour où mon agent m'a supplié d'accepter un contrat pour un magazine à potins à deux heures d'avis, tous mes préjugés sur le milieu se sont confirmés. Dix minutes avant d'arriver sur les lieux de la séance photo, j'écoutais distraitement la rédactrice en chef du magazine énumérer au téléphone ses exigences sur un ton condescendant, limite hystérique. J'ai franchi la porte du studio en constatant que la jeune femme qui m'avait dépassé dans l'escalier était la presque vedette que je devais photographier. Visiblement, elle avait oublié les règles d'or d'un *shooting* : la veille, tu resteras sobre, tu te démaquilleras avant d'aller au lit, tu dormiras au moins huit heures, tu arriveras lavée, pas maquillée et les cheveux prêts à être coiffés. Presque-Vedette, loin de maîtriser ces rudiments, avait des nœuds dans sa queue de cheval, du mascara de la veille collé aux cils et traînait une odeur de bière *cheap* sur ses vêtements. Déterminé à finir ce contrat au plus vite, j'ai bouclé les photos en moins de trente minutes, m'attirant ainsi les foudres de la *wannabe* qui voulait être le centre de l'univers pour au moins deux heures.

Pendant que la rédactrice en chef faisait beugler mon cellulaire, je suis rentré chez moi pour traiter les photos. En fin d'après-midi, je lui ai envoyé le résultat final, avant de répondre à mon agent qui m'appelait à son tour.

— Émile, peux-tu m'expliquer ce qui s'est passé ? La patronne du magazine vient de me crier dessus en me disant qu'elle ne ferait plus jamais affaire avec nous !

— Ce contrat-là était mal organisé du début à la fin. La fille était un déchet. Je me suis arrangé pour prendre une quinzaine de photos où elle a presque l'air de dégager quelque chose d'intéressant, pis j'ai paqueté mes petits. Quand tu m'as engagé, tu m'as dit qu'il fallait que j'aie confiance en moi... Ben c'est ça. Mon travail est impeccable, et tu le sais.

— Peut-être, mais t'as pas le droit de... Attends une minute, la folle vient de m'envoyer un courriel. Ah ben j'ai mon voyage ! Elle écrit que tes photos sont écœurantes... elle s'excuse d'avoir pété un plomb, pis...

— Pis quoi ?

— Elle veut que tu t'occupes du prochain *front*...

— Aucune chance !

— Émile...

— Éli... t'étais sur le point de me renvoyer y a deux secondes. Tu peux pas sérieusement vouloir que je fasse ça ?

— D'abord, je peux pas te renvoyer, parce que t'es pas mon employé, t'es un pigiste... Pour le reste, je voulais surtout clarifier la situation avant de réagir.

— Ben maintenant tu sais que ton petit jeune commence à se respecter.

— Ouin, bon, il pourrait encore raffiner ses réactions, mais disons que je vais fermer les yeux cette fois-ci.

Trop généreux.

— J'ai même quelque chose à te proposer pour te prouver ma bonne volonté, reprit-il en faisant son *cute*. Tu vas sûrement me dire que ce sont les cinq jours les plus longs de ta vie, mais tu vas pouvoir m'offrir un cadeau de Noël tellement c'est payant.

— C'est quoi ?

— Le catalogue d'une grosse quincaillerie...

CHAPITRE 20

Une odeur de compétition flottait entre les murs de mon appartement. J'étais dévoré par l'envie depuis que j'avais rencontré la nouvelle fréquentation de mon colocataire : Frank, un jeune homme d'origine suisse, des cheveux blonds, de grands yeux pers et une bouche en forme de cœur qui me faisait rêver. Étant donné que Laurent et Sexy Suisse manquaient généralement d'imagination pour se trouver des activités, ils restaient scotchés l'un à l'autre pendant des heures en monopolisant ce que j'appelais jadis MON salon.

Question d'arrêter de comparer ma vie relationnelle à celle de mon colocataire, j'ai mis de côté toutes mes bonnes résolutions. Je suis retourné en pays de connaissance et me suis organisé vite fait un rendez-vous.

État d'esprit : chasseur.

Cible potentielle : Éric-le-presque-quarantenaire.

Motifs et justifications : homme facilement tenté par la chair fraîche.

Méthodes sélectionnées : candeur, charme, innocence et talent pour diriger les pensées de l'ennemi.

Camouflage préconisé : avoir une discussion sur le pourquoi et le comment de mon manque de sexe.

Résultat espéré : se servir de repas mutuellement avant la fin de la soirée.

Obligé de feindre un intérêt pour sa discussion avant de lui arracher ses vêtements, je me suis distrait en faisant un photoreportage mental de notre soirée.

Plan large d'une maison-dortoir recouverte d'un revêtement plaqué blanc : la reproduction parfaite de la personnalité peu inspirante de son propriétaire.

Vue panoramique du rez-de-chaussée datant de l'époque de *Dynastie* : meuble télé tirant sur le mauve, causeuse beige avec d'énormes boutons de couture, armoires de cuisine en mélamine blanche, table recouverte d'un matériau vert faussement chic.

Plan rapproché du pied que je glissais sur son mollet, pendant qu'il me servait un plat de pâtes noyées dans la sauce rosée.

Effet photomaton de mon sourire délinquant, de mon regard coquin et du petit air de prétention que j'affichais en sélectionnant un film dont je me foutais éperdument, afin de ne rien manquer si mes yeux, mes mains et ma bouche étaient occupés ailleurs.

Photo mal cadrée du couloir où nos pantalons venaient d'être abandonnés.

Découpage de la tête aux genoux de l'*alter ego* de George Clooney pour me souvenir des éléments les plus intéressants de ma soirée.

Gros plan sur mon regard d'incompréhension, une fraction de seconde après qu'il m'ait demandé de ne plus l'observer avec autant d'envie.

Cliché franchement manqué lorsqu'il m'a expliqué le plus sérieusement du monde que son corps de quarante-neuf ans souffrait des comparaisons avec la fermeté de mes vingt ans.

What the fuck, *quarante-neuf ans ?!*

Retour à l'effet panoramique afin d'immortaliser la chambre où je ne remettrai plus jamais les pieds.

::

SURNOM : CREO	
20 ans – Montréal	Homosexuel – Célibataire
Recherche : Préfère trouver	Occupation : Futur étudiant
1,87 m, poids proportionnel	Cheveux bruns – Yeux bleus, verts ou gris
L'âge ne me décrit pas très bien. Les mots le réussissent généralement mieux. Je veux goûter à la vie, la sentir frôler ma joue, entrer par tous les pores de ma peau et s'installer en moi. J'ai envie de plonger dans le vide, sans craindre de me faire mal et sans attendre qu'on m'attrape. J'ai les jambes assez solides pour atterrir. Mais sauter à deux, pourquoi pas ?	

::

Quand Éli m'avait proposé le contrat de cinq jours à la quincaillerie, il avait volontairement oublié d'inclure le temps consacré à retoucher des centaines de photos de marteaux, de tondeuses, de barbecues, de cannes à pêche, de moulures, de poignées de porte, de tentes et de lavabos. Après des heures et des heures de Photoshop, quoi de mieux que de me changer les idées en allant voir les nouveaux candidats dignes d'intérêt sur ToietMoi.com ?

Mon troisième café dans une main et ma première rôtie dans l'autre, je laissais les propositions venir à moi. Je m'amusais à supprimer tous les messages ressemblant à « t *cute* », «*feeling horny ?*» et «je suis un gars normal et terre à terre» lorsqu'un joli Mexicain de vingt-deux ans a capté mon attention.

— Tu parles à Juan ?

Laurent venait d'apparaître sans que je l'entende arriver.

— Oui. Tu le connais ?

— Je l'ai un peu fréquenté avant de venir vivre ici.

— Un peu ?

— Ben oui… y a rien là. C'était écrit dans le ciel qu'on allait *dater* le même monde à un moment donné. Tu vas voir, il est très gentil. Pis il est super bon au lit…

— Arrête, je veux pas savoir ça avant de le voir !

::

À la seconde où je suis arrivé au restaurant, le sourire craquant de Juan Pablo est venu chasser les images où je le voyais batifoler avec mon coloc. Monsieur le Mexicain, citoyen canadien depuis deux ans, étudiait en traduction pour devenir interprète aux Nations Unies. Peu de temps après avoir obtenu ses papiers officiels, il avait convaincu sa mère et ses deux sœurs de tenter l'expérience montréalaise. Il me racontait son histoire avec un français d'une fluidité et d'une clarté étonnantes.

— Ça va avoir l'air cliché ce que je vais dire, mais ma mère a vraiment mal réagi à l'hiver. Elle ne sortait plus de la maison, mes sœurs n'avaient aucune vie sociale, elles se plaignaient tout le temps. Après environ quinze mois, elles sont retournées vivre à Mexico.

— Ouch…

— Ouais, c'était difficile… Heureusement, on garde un bon contact malgré la distance. Je les appelle plusieurs fois par semaine, et on se parle sur Skype pour ne pas oublier à quoi on ressemble.

Ouvert et chaleureux, Juan Pablo me racontait sa vie naturellement, étouffant ainsi ma tendance à poser trop de questions et à me battre pour réanimer la conversation.

— Tu vis loin d'ici ? demanda-t-il.

— À vingt-cinq minutes de marche environ.

— OK, c'est pas trop loin. J'aimerais ça voir à quoi ressemble ton appartement.

Euh… t'es pas un peu vite en affaires, toi ?

— Pourquoi ?

— Pas pour te sauter dessus… Je pense juste que je pourrais apprendre à mieux te connaître en visitant l'endroit où tu vis.

Réponse facile.

— En tout cas, t'as l'air pressé de découvrir tous mes petits secrets...

Je ne savais plus si j'avais envie de m'ouvrir ou de me fermer.

— Tu as des choses à cacher ?

— Non, mais tu vas rien voir chez moi que tu ne connais pas déjà...

Pourquoi t'as dit ça ?

— Comment ça ?

— Parce que t'as déjà couché avec mon coloc.

T'es vraiment con...

— Pas possible ! Tu me fais marcher.

— Il me l'a dit.

Mais arrête !

— Émile, j'ai couché avec presque personne depuis un an.

— Ben presque personne, ça inclut mon coloc, Laurent.

— Le petit lutin ?

— QUI ?

— Un peu plus petit que toi, presque aussi mince, les cheveux blonds ébouriffés, un rire perçant : le petit lutin.

Méchant surnom poche.

— Ouais, bon, si tu veux...

— Alors, comment il va, le beau Laurent ?

— Bien. Il est avec quelqu'un depuis trois ou quatre semaines...

— Chouette. Je suis content pour lui. Tu lui diras bonjour de ma part.

La tournure de notre discussion me rendait de plus en plus mal. J'ai mis fin à notre rencontre, plutôt que de m'enfoncer davantage.

Avant de partir, Juan s'est approché pour me faire la bise.

— J'ai hâte de te revoir...

Mes premières impressions ne savaient plus où donner de la tête. Au-delà du malaise que j'avais moi-même installé, l'image qu'avait laissée Juan Pablo dans ma mémoire était franchement jolie. Un genre de souvenir flottant, façon Jack Johnson, les deux pieds dans le sable, occupé à se laisser bercer par le flot des vagues du Pacifique, en train de fredonner *Sitting, Waiting, Wishing*.

:::

À quoi bon pratiquer le métier de photographe avec un souci d'esthétisme et d'originalité quand la nature humaine n'attend rien d'autre que de voir son absurdité immortalisée pour l'éternité?

Avant d'arriver au Ritz-Carlton, où je devais photographier la réception d'un mariage qui venait d'être célébré à la basilique Notre-Dame, j'avais tenté de prévoir l'allure des prochaines heures : la robe de mariée valant quinze mille dollars, les musiciens professionnels qui avaient été préférés au D.J. de Verchères, le menu gastronomique qui volait la vedette au tandem poulet/poisson et la soirée qui se terminait tout de même avec un rappel de la *Macarena*.

Tu pouvais difficilement être plus dans le champ…

Quand j'ai aperçu la banderole « BIENVENUE AU ROYAUME DES GLACES » dans le lobby de l'hôtel, j'ai compris à quel point mon imagination était limitée.

Moi qui pensais qu'un mariage d'hiver, c'était rien d'autre qu'une cérémonie début décembre…

Les invités s'étaient rendus à l'hôtel en calèche. La mariée était vêtue d'une robe de fourrure. Le plancher était tapissé d'une fausse neige. Les serveurs portaient des tuques de laine et des chapeaux de poils. L'ambiance musicale néobaroque était assurée par une harpiste et un flûtiste. Les estomacs se remplissaient de fromages scandinaves, de viandes nordiques et de cidre de glace. Au final, la carte mémoire de mon appareil photo déborderait de situations invraisemblables dont j'allais me souvenir jusqu'à la fin de ma vie.

:::

Six longues journées s'étaient écoulées depuis que ses lèvres avaient frôlé mes joues. Sa fin de session ne lui laissait apparemment aucune disponibilité. Ma raison comprenait la situation, mais le reste de ma personne commençait à s'impatienter. J'avais hâte de le revoir, de sentir son parfum, de l'avoir dans mes bras et de l'embrasser pour la première fois. Mes sages envies se transformaient peu à peu en fantasmes puissants et incontrôlables. Ma tête perdait la carte, le Nord et tout ce qu'un homme dirigé par son sexe peut perdre dans la vie. La logique me riait au visage. Le sens moral me tournait le dos. Mon désir pour Juan Pablo se transformait en un besoin physique libre de choix, indépendant de mouvements, capable d'accepter une rencontre sexuelle cyberproposée par n'importe qui. Un certain N'importe Qui m'a d'ailleurs invité chez lui, dans l'arrondissement de LaSalle, un jeudi après-midi...

À la sortie de la station de métro Monk, j'ai eu l'impression d'être tombé dans le trou du cul du bout du monde : plusieurs commerces aux devantures protégées par des grillages, des entrées en gravier et des *weirdos* en quantité. Lorsque je suis arrivé au troisième étage d'un immeuble en décrépitude, la porte de N'importe Qui s'est ouverte sur une série d'éléments rébarbatifs :

- Un appartement malpropre et désordonné ;
- Une odeur d'encens qui me levait le cœur ;
- Un propriétaire mesurant environ un pied de moins que moi.

Heureusement pour mes hormones, le bout de chou de la station Monk a fait taire mes remontrances en m'offrant un massage inoubliable : dos, nuque, épaules, bras, mains, pieds, mollets, cuisses, fesses. La totale.

Je profitais de la situation en abandonnant ma nudité à un homme dont les caresses ne semblaient pas s'épuiser. Malgré l'état semi-comateux dans lequel je me trouvais, j'ai réussi à combler les attentes de N'importe Qui avec ce qui me restait d'énergie. Le voilà qui déposait son visage sur l'oreiller en tentant de me retenir.

— Tu peux rester si tu veux… Je pourrais cuisiner quelque chose, et on se ferait du *fun* toute la soirée.

Après avoir chuchoté un «Non merci», sans équivoque, j'ai récupéré mes vêtements et je me suis précipité vers l'entrée pour enfiler mes chaussures, telle une Cendrillon des temps modernes.

— Ouais, ben… Donc, euh, c'est ça, on se rappelle, OK? Bye!

Sans prendre la peine d'écouter la réponse de N'importe Qui, j'ai dévalé l'escalier. J'ai couru vers le métro en imaginant Cendrillon s'échapper de la maison des Sept Nains, après avoir croqué une pomme qu'elle avait elle-même empoisonnée. Les mollets en feu et le souffle court, je suis arrivé sur le quai, en sentant que des dizaines de personnes me dévisageaient.

Ben oui, je viens d'avoir du sexe et pas vous! On se calme la désapprobation dans le regard, OK?

Dès mon retour à la civilisation (lire ici: le centre-ville regorgeant de béton, de mendiants et de gens bizarres que j'avais au moins le mérite de reconnaître), je me suis reconnecté sur ToietMoi.com, tel un dépendant au flattage d'ego cybernétique. Une fois ma dose de compliments quotidiens obtenue, je suis allé faire un tour dans ma boîte de messagerie personnelle, où m'attendait un courriel de Juan Pablo. Il m'invitait à passer la soirée du surlendemain avec lui et ses amis.

Étant donné que monsieur le Mexicain avait eu besoin de dix jours avant de pouvoir/vouloir me revoir, je me suis assuré de le faire poireauter un maximum avant de le rejoindre au Starbucks, près du métro Guy-Concordia. J'analysais le design des vitrines, je relisais de vieux messages textes, je flânais dans les allées d'une pharmacie, j'attachais mes lacets trois fois de suite et j'ouvrais la porte du café en réalisant qu'il n'était même pas arrivé.

Le p'tit crisse…

Son nom est apparu sur mon afficheur, après un quart d'heure. Sa bonne humeur légendaire a retenti dans mon oreille.

— Salut Émile! Je suis désolé pour le retard. Le métro a été interrompu à cause d'une tentative de suicide... Je m'en viens en courant.

Juan Pablo m'a finalement rejoint pour un thé chaï, une tranche de pain au citron et graines de pavot, une heure de discussion et la suite d'une soirée qui s'organisait au Sharks, à deux pas du café.

Viens-tu vraiment d'accepter de le suivre dans un bar où l'activité principale est de jouer aux quilles?

Et au billard. On pouvait aussi jouer au billard...

Au sous-sol de l'immeuble où se trouvaient ses amis, des *black lights* illuminaient chaque parcelle de blanc qui se trouvait sur moi.

Tu portes un chandail noir et blanc, pis tout le monde te regarde. Fuis!

Malheureusement pour mon amour-propre, la solution que criait mon instinct n'était pas envisageable.

Maudit sens de l'étiquette.

Après trois heures à jouer au billard, boire quelques *drinks* et chanter «bonne fête» à une parfaite inconnue, j'ai réalisé que ma *date* offrait son attention à tout le monde, sauf à moi.

Tu te fais niaiser, tu t'ennuies et t'as l'air d'un Popsicle en noir et blanc. T'attends quoi pour te pousser?

Les amis de Juan ont suggéré de continuer la soirée dans l'appartement de l'un d'entre eux, vers minuit. Juan Pablo m'a soudainement accordé un minimum de considération.

— Tu viens?

— Non, je vais rentrer. Je suis vraiment fatigué...

Je suis retourné chez moi en marchant l'équivalent de six stations de métro pour me défouler. À la maison, j'ai suggéré à ma déception d'aller s'étouffer dans la chaleur de mes draps.

J'analysais la peinture de mon plafond en me faisant la promesse de passer la journée en pyjama, sans me doucher, sans me raser et sans chercher à plaire à qui que ce soit. Quelque part en milieu d'après-midi, un message texte de Juan Pablo est venu déranger ma quiétude : «Mes examens commencent bientôt, mais j'aimerais ça te revoir. As-tu un peu de temps ?»

Oui. Non. Peut-être.

Si tu me rappelles, ça se peut que je réponde...

La vie se chargeait de récompenser ma nouvelle désinvolture, cinq jours plus tard.

— On pourrait peut-être enfermer nos corps dans une chambre et regarder ce qui se passe...

Ces quelques mots résumaient l'invitation, nullement romantique, mais diablement tentante, que Juan Pablo venait de me lancer au téléphone.

— Viens-t'en.

Puisque le métro ne roulait plus depuis longtemps, il s'est payé un taxi. Après lui avoir ouvert, je l'ai dirigé vers ma chambre en sentant ses yeux parcourir chaque centimètre de peau qui s'offrait à lui.

Le coup du pantalon de pyjama-torse-nu, c'est toujours gagnant.

La porte de ma chambre s'est doucement refermée. Ses mains frôlaient mes flancs avec une ardeur inespérée. Le teint basané de sa main contrastait joliment avec la pâleur de mon corps. J'attirais son visage vers le mien, retirais son chandail, détachais sa ceinture et le débarrassais de ce qui lui restait de vêtements. Sur mon lit, sa bouche est venue torpiller la ferveur qui nous habitait cinq minutes plus tôt.

— Je me sens bien comme ça, collé, sans rien faire de plus... J'ai envie d'essayer avec toi.

Essayer quoi, essayer qui, essayer comment, essayer pourquoi, je ne voulais même pas le savoir. Au lieu de me perdre en réflexions, je me suis endormi contre son corps, sans le moindre signe d'inconfort. J'étais bien. Juste bien.

Le lendemain matin, je me suis permis de réveiller Juan Pablo pour accumuler des dizaines de baisers avant d'aller déjeuner avec Clara.

— Bon matin…

Le sourire calme qu'il m'offrait en ouvrant les yeux avait tout pour me charmer.

— Toi, tu ne vas pas voir ton amie avant de m'avoir fait l'amour…

Euh, y a quelque chose que je n'ai pas compris cette nuit?

Les caresses langoureuses et contenues de la veille n'étaient plus que de vagues souvenirs d'une époque révolue. Ma tête n'avait plus aucune emprise sur mon corps. Chacun de mes neurones étaient dorénavant occupés à ne pas comprendre ce qui était en train de se passer…

Nous nous sommes quittés une heure plus tard au métro Berri-UQAM avec un baiser qui se voulait sincère, mais qui ne savait plus comment faire. Je me suis traîné les pieds jusqu'au restaurant où Clara m'avait donné rendez-vous.

— Qu'est-ce que t'as?

— Je sais pas… je me sens fucké de l'intérieur. On dirait que je respire mal. C'est comme si quelqu'un avait joué avec mes organes, mais sans les remettre à la bonne place.

— Coudonc, t'arrives d'où?

— De chez moi… C'est à cause de Juan. Il a passé la nuit chez moi. On a couché ensemble.

— Pour la première fois? C'est ça qui te met à l'envers?

— On a tout fait…

— Et t'as pas aimé?

— Non, c'est pas ça. Je… C'était bizarre. Ça s'est fait tout seul. Comme si je m'en rendais pas compte…

Clara me regardait sans broncher, pendant que j'essayais de verbaliser ce qui me troublait.

— On n'a pas mis de condom…

Toute la douceur que me renvoyaient ses yeux une seconde plus tôt venait de disparaître.

— T'es vraiment con! J'en reviens pas. Tu peux avoir pogné n'importe quoi! Là, tu manges ton assiette, pis après tu prends rendez-vous pour te faire tester. C'tu clair?

J'ai marché la queue entre les jambes vers la clinique de dépistage l'Actuel, au coin des rues Amherst et De Maisonneuve. La réceptionniste m'a remis un questionnaire de deux pages à remplir. Dans la salle d'attente, un homme souffrait d'une quinte de toux interminable. L'idée de côtoyer les microbes de quelqu'un d'autre m'était insupportable. Le calorifère produisait un tintement répétitif qui devenait assourdissant. J'étais impatient, angoissé et à bout de nerfs.

— Monsieur Leclair? Émile Leclair? Suivez-moi.

Après une prise de sang, trois prélèvements, vingt-cinq questions et une panoplie de recommandations, je suis sorti de la clinique la mine basse. J'imaginais tout ce que j'aurais pu faire, à quel moment et de quelle façon. J'avais mal à mon orgueil. Mal à mes souvenirs. J'avais gâché ma première relation sexuelle complète. Et je devais maintenant trouver le moyen d'expliquer à Juan Pablo qu'il devait se faire tester.

::

À la demande de mon agent, je me suis rendu à la boutique d'un jeune designer pour photographier ses créations. La trentaine, plutôt petit et pesant un maximum de 115 livres mouillé avec une sécheuse dans les bras, il papillonnait autour de moi pendant que j'installais mon matériel. J'observais sa nouvelle collection en me retenant pour ne pas rire devant le ridicule de ses vêtements. Je faisais appel au dieu de la concentration pour terminer mon contrat le plus rapidement possible.

Les minutes filaient, et je ne faisais rien d'autre que de critiquer chacune de mes photos : tout était déphasé, mal éclairé et peu inspiré. J'étais tendu et j'endurais depuis deux heures un designer qui croyait que notre homosexualité commune lui donnait le droit de m'appeler « mon chou ». Lorsqu'il s'est approché pour observer mon travail, il a profité de notre soudaine proximité pour humer l'intérieur de mon cou.

— OK, là, je vais devoir vous demander de me laisser un peu d'espace.

— Fâche-toi pas, mon chou, je trouve ça beau de te voir travailler… Pis fallait pas t'asperger d'un parfum comme ça si tu voulais pas que je le sente.

— Ça va peut-être vous surprendre, mais j'ai vraiment d'autres priorités dans la vie que de me faire taponner.

— C'est probablement pour ça que t'as une attitude de mal-baisé. *Ostie de cave…*

— Ben j'ai le bonheur de vous apprendre que vous allez devoir trouver quelqu'un d'autre pour photographier votre linge laite… Je me laisserai certainement pas insulter par une guidoune qui s'autoproclame designer juste parce qu'elle sait coudre.

J'ai rassemblé mes affaires en ignorant les bêtises qu'il me lançait par la tête et je suis sorti sans prendre le temps d'attacher mon manteau. Ma tête bouillait de rage et mon corps tremblait de froid. Je suis arrivé chez moi en ne sachant plus si les larmes qui coulaient sur mes joues étaient provoquées par la température, la colère ou le sentiment d'avoir commis la pire gaffe de ma vie. Mon téléphone a sonné quinze minutes après mon arrivée. Éli s'est contenté d'un bref commentaire, trouvant le moyen de contenir toute la déception et la frustration qui l'habitaient.

— Même si les clients se pâment sur tes photos, tu peux pas te permettre d'avoir ce genre d'attitude. Tu reviendras me voir quand tu te seras calmé…

::

Trois jours après avoir demandé à Juan Pablo de m'appeler, j'ai reçu un message texte laconique de sa part :

« J'ai besoin de te voir pour parler de ce qui se passe dans ma tête. »

« Eh bien, eh bien, monsieur se rappelle comment utiliser son cellulaire… Dis-moi quand et où. Je vais m'arranger pour être libre. »

Chaque fois qu'on me laissait dans l'ignorance, je finissais par me poser quarante mille questions, dont la moitié n'avait absolument rien de cohérent. Je croulais sous le poids de ma frustration et de mes doutes. J'agissais exactement comme il le fallait pour avoir des cheveux gris à vingt-cinq ans et une crise d'angine à quarante.

Bon, là, ça suffit. Tu stresseras ta vie un autre jour. Va te changer les idées.

Un jean moulant, un t-shirt blanc à col en V plongeant, des *Converse* verts « m'as-tu vu ? », un trench-coat gris cendré, un long foulard bleu « regardez-moi » : mon look frôlait la perfection. Quand Charles m'a vu arriver, il m'a regardé d'un air perplexe.

— Ben oui… T'as encore l'honneur de voir ma face de gars qui sort d'une autre histoire de marde. Juan Pablo est aussi cave que les autres. On a couché ensemble, on s'est pas protégés, on a été cons… Ça te tente, toi aussi, de me dire que j'ai été con ? Je suis sûr que ça te ferait du bien…

— Émile…

— Pis mon agent me boude parce que j'ai insulté un client… *Anyway*, je suis pas ici pour me plaindre. Viens-t'en danser !

Cinq secondes plus tard, nous avons plongé dans la pénombre du bar Le Gymnase, où se tenait la soirée *C'est extra*, consacrée aux grands succès francophones des années 50, 60, 70 et 80.

— Tu payes le premier *shooter*?

Mon regard sous-entendait : « Je fais vraiment pitié, alors tu ne peux rien me refuser. »

— Parfait! De toute façon, si je me fie à ta tolérance de minette, tu vas être pompette après deux verres...

Avec sa solidité, ses mots, sa compréhension totale de qui j'étais, dans le sérieux comme dans le n'importe quoi, Charles était là pour moi.

— Tu sais quoi? Je pense que je t'aime plus.

J'étais moi-même surpris par ce que je venais d'affirmer.

— Ah, ben merci... Content de le savoir.

— Non. Non, je veux dire... je ressens plus rien d'amoureux pour toi. Je veux seulement être ton ami.

— Ben là, tu parles comme si j'étais un prix de consolation!

— Arrête! J'ai juste l'impression que notre relation est plus agréable comme elle est maintenant qu'elle aurait pu l'être autrement.

Plutôt que d'analyser cette nouvelle réalité en long et en large, nous avons fait notre entrée sur la piste de danse au rythme de *Marcia baila*, avant d'inventer de nouvelles chorégraphies sur les airs de Charles Aznavour, Mylène Farmer, Michèle Richard et Pierre Lalonde.

À l'exception du nain de jardin qui s'approchait de moi toutes les cinq minutes, la soirée était parfaite.

— J'attire toujours du monde louche quand je sors danser, dis-je à Charles en dévisageant l'abruti qui bourdonnait autour de moi.

Le Schtroumpf essayait d'attirer mon attention en me frôlant sans subtilité. Visiblement plus habile que je ne l'étais pour me tirer d'ennui, Charles s'est débarrassé de l'indésirable en se collant tout contre moi.

Euh… qu'est-ce qui se passe, là ?

Quand il a vu Charles sourire à moins d'un centimètre de mon visage, le troll est allé se planter devant lui avec un regard de défi. Regard auquel mon ami a répondu en s'approchant de son oreille pour souffler quelque chose qui avait l'air d'une provocation.

— T'es rien qu'un ostie de trou de cul, cracha le troll.

Ce à quoi Charles a répliqué en m'entraînant hors de la piste de danse.

Sans perdre une seconde, notre nouvel ennemi s'est précipité sur nous. Comme Charles se retournait, son visage est entré en collision avec un violent coup de poing.

— Mais t'es malade ! hurlai-je au nain de jardin.

Le sang de mon ami se répandait partout sur le sol.

— Vous êtes deux osties de caves !

Avant qu'il ait le temps de sévir une deuxième fois, mon poing est allé s'écraser au milieu de sa figure.

— Décâlice !

Le sentiment de virilité jouissive qui découlait de mon geste n'a malheureusement pas duré longtemps. Un des gorilles de l'établissement s'est interposé en nous offrant deux choix : quitter les lieux en vitesse ou crisser notre camp.

Il était deux heures du matin et la température extérieure frôlait les vingt degrés au-dessous du point de congélation. Le sang de Charles a eu le temps de sécher avant qu'un taxi accepte de s'arrêter.

— Rue Saint-André, à la hauteur de Laurier, s'il vous plaît.

Dès notre arrivée, je suis parti à la recherche d'une serviette pour éponger les globules et les plaquettes qui s'étaient échappés de son grand nez. Charles penchait sa tête vers l'avant en prononçant quelque chose qui ressemblait à un ordre : « Tu dors ici. Pas question que tu ressortes avec le froid qu'il fait. »

Vingt minutes plus tard, j'allongeais mon corps à moitié nu à quelques pouces de celui que j'avais aimé pendant des mois. La situation était surréaliste. Mon ancien fantasme amoureux était à portée de main baladeuse et je n'avais envie de... rien.

Libération!

::

Je marchais d'un pas pressé sur Amherst en me demandant si j'avais écopé d'une cochonnerie passagère, d'un virus mortel ou d'une bonne leçon. Je refaisais le même processus que la première fois: la réceptionniste, la salle d'attente, les hommes louches, le docteur, le couloir, le bureau, la porte qui se referme.

— Tout est négatif, monsieur Leclair.

Le poids du Stade olympique venait de tomber de mes épaules.

— Je vous jure que je recommencerai pas.

— Ne jurez de rien... Réfléchissez la prochaine fois. C'est tout ce qu'on vous demande.

De retour à la maison, je suis allé noyer dans mon bain la stupidité dont j'avais fait preuve.

::

19 décembre 2011

À la plus belle mamma *du monde,*

Il est huit heures du matin. Ça fait trente minutes que je suis assis dans mon lit à chercher les mots pour te dire ce que j'ai dans le cœur: je pense que je ne te mérite pas. J'ai l'impression d'avoir fait tellement d'efforts pour attirer l'attention de papa que je t'ai aimée à moitié pendant des années. Tu n'as rien dit quand il était vivant. Tu m'as laissé te coller quand il est mort. Tu m'as flatté les cheveux pendant des heures pour que je m'endorme. Tu m'as vu déménager et m'enfermer dans ma bulle. Lorsque je t'appelais, tu m'écoutais et tu trouvais toujours le moyen de calmer mon petit cœur hyperactif. Juste de savoir que tu étais là, ça me suffisait pour aller mieux. Je t'ai peut-être déjà dit mille fois je t'aime, mais je ne t'ai jamais dit merci d'exister.

J'ai compris autre chose aussi : papa ne peut pas nous avoir laissés tomber. Parce que tu n'es pas le genre de femme dont on peut se passer. Et je ne suis pas le genre de petit gars qui mérite d'être abandonné...

Je t'aime,

Émile

::

Quelques jours après m'avoir envoyé son texto bizarre, Juan ne m'avait toujours pas donné rendez-vous.

— Vas-tu finir par me dire ce qui se passe ?

Il venait d'apparaître sur Facebook.

— Relaxe, Émile, ça sert à rien de t'en faire comme ça.

Je l'aurais rentré dans le mur.

— Je suis censé me calmer comment quand tu m'ignores ?

Il ne répondait pas à mes courriels et son cellulaire était supposément mort et/ou brisé et/ou je me faisais avoir comme un débutant.

— J'avais seulement besoin de prendre une pause...

J'essayais depuis des jours de modérer mes transports et d'étouffer mes attentes, mais je n'y arrivais tout simplement pas. La distance que nous imposait la communication cybernétique me mettait dans tous mes états.

— *By the way*, il va falloir que t'ailles te faire tester.

— Comment ça?

— Parce qu'on s'est pas protégés, c't'affaire...

— T'as quelque chose?

— Tu vas le savoir si tu prends un rendez-vous. Pis après, t'en profiteras pour m'oublier.

L'heure était venue de détruire mon pattern de «gars victime de sa solitude» en faisant le grand ménage. Sans réfléchir, j'ai supprimé tous les contacts reliés de près ou de loin à la drague cybernétique. J'adressais un *FUCK YOU* monumental aux milliards de gars sur la planète pour une durée indéterminée. Finies les baises. Finies les *dates*. Finies les utopies de relations amoureuses idylliques.

La shop *est fermée!*

CHAPITRE 21

Un sapin biologique trônait dans un coin du salon. Assis par terre, le nez dans les boîtes et la tête dans les nuages, je me disais que tout était plus facile à l'époque où mes seules préoccupations se résumaient à mon carré de sable, mes petites autos, mes G.I. Joe, mes repas, mon dodo, ma doudou, ma *mamma* et mon papa. Afin d'éviter toutes pensées reliées aux déceptions masculines, j'avais consacré mon énergie des derniers jours à trouver ce que Lilie allait m'offrir pour Noël. Ma voisine me torturait depuis des semaines en affirmant qu'elle avait trouvé un cadeau dont j'allais me souvenir toute ma vie.

— Si t'es aussi surpris que la fois où tes grands-parents t'ont acheté des camions jaunes en espérant te faire jouer à autre chose qu'à la Barbie, je vais être fière !

Le temps des fêtes chez les Leclair + 1
23 décembre

- Engloutir un déjeuner de gaufres chargées de fruits hors de prix, de sirop d'érable et de Nutella, en lisant un petit mot de la *mamma* : « Avec ton petit cœur hyperactif, mon trésor, c'est impossible d'aimer à moitié. C'est moi qui devrais te remercier d'exister. Tu fais du bien au monde. xxx »

- Rassembler les décorations de Noël, les installer et admirer leur effet, enrobé dans la couette que la *mamma* m'avait confectionnée.
- Écouter Lilie me répéter que je devais absolument trouver un moyen de m'excuser auprès de mon agent, que je ne pouvais pas laisser filer la chance de ma vie.

24 décembre
- Profiter d'une grasse matinée.
- Jouer dehors, manger de la neige et faire un bonhomme avec un résultat approximatif.
- Laisser sécher mon trench-coat, mes bottillons presque chauds et mes gants de cuir un peu trop *fashion*, qui n'avaient rien pour rivaliser avec un *one piece*, des bottes Sorel et des grosses mitaines pas de pouce.

25 décembre
- Me réveiller avant tout le monde pour aller fouiller dans la chambre noire.
- Ingurgiter les pires œufs bénédictine de l'histoire, gracieuseté de mademoiselle Lilie.
- Passer l'après-midi devant les classiques du temps des fêtes diffusés à *Ciné-cadeau*.
- Regarder partir Lilie, obligée de réserver sa soirée du 25 décembre à sa « vraie » famille.
- M'énerver le poil des jambes au moment d'ouvrir les cadeaux.

Sur la boîte :

À : *la mamma*
De : *Ton trésor*

Dans la boîte : une collection des meilleures photos de mes parents.

«Un été, en cachette, je suivais papa quand il partait marcher, je te photographiais de ma chambre lorsque tu travaillais dans le jardin et je m'installais dans l'escalier les soirs où vous vous colliez dans le salon.»

Sur la boîte :

À : *Émile, le plus bel homme*
De : *la mamma*

Dans la boîte : le vieux sac de cuir de mon père.

«Il était tout défraîchi, alors je me suis arrangée pour lui redonner du pep. Ça va donner un petit côté *vintage* à ton look de Montréalais. Je suis sûre que tu vas faire tourner les têtes avec ça.»

26 décembre
– Offrir mon dernier cadeau.

Sur la boîte, minuscule :

À : *Lilie*
De : *celui qui ne ferait jamais languir sa meilleure amie*

Dans la boîte : la clé de mon appartement pour la convaincre de venir me visiter plus souvent et un album de photos des plus beaux hommes de Montréal pour lui montrer tout ce qu'elle manquait.

– Profiter des cadeaux de tout le monde, sauf celui de mon amie qui se faisait toujours attendre.
– Aller chez les grands-parents pour engloutir tourtière, ragoût, dinde, tartes et bûche de Noël.

Après le dessert, Maurice est sorti de table pour fouiller dans l'armoire d'alcools forts.

— Une petite *shot* de gin, mon Émile ? On va voir si t'es aussi *tough* que ton grand-père.

— T'as pas un peu de téquila à la place ? Il me semble que le gin, c'est trop facile.

Il s'est retourné en faisant la grimace.

— Oublie ça, mon gars. Je me suis un peu trop amusé avec la téquila quand j'avais ton âge. Je suis plus capable d'entendre le mot sans avoir mal au cœur !

— Ahaaahh, je le savais ! Je suis rendu plus tolérant que toi. C'est moi l'homme de la famille maintenant !

::

Le matin de mon départ, Lilie est débarquée dans ma chambre en sautant dans mon lit.

— C'est l'heure de ton cadeau !

— T'es pas sérieuse ? Il me restait encore deux heures avant de partir…

— Oui, je sais, mais moi aussi ! Je déménage !

— Hein ?! Quoi ?

— J'ai trouvé un appart dans Hochelaga, à quatre stations de métro de chez toi !

— T'as toujours dit que tu vivrais jamais à Montréal !

— Peut-être, mais je suis mûre pour de la nouveauté… Tu vas probablement m'entendre chialer pendant six mois, sauf que j'ai besoin de voir autre chose que la Gaspésie.

— Le sais-tu à quel point c'est la plussss meilleure nouvelle du monde, ça ?

— Mouais, je sais… Allez, va t'habiller. J'ai des boîtes à te faire transporter.

— Bon, t'es pas encore à Montréal et tu m'exploites déjà.

— Eille, commence pas à te plaindre. Ça fait un an et demi qu'on est séparés. Tu peux ben te servir de tes petits muscles pour nous réunir.

— Vu de même.

:::

Après cinq jours à prendre une pause de mon cellulaire, plusieurs messages m'attendaient. Le premier était de Charles :

« Ostie, Émile, je suis en train de devenir comme toi ! Je viens d'avoir un *one night*... pis j'ai presque trouvé ça l'*fun*. Je me comprends plus. Appelle-moi quand t'arrives. J'ai besoin de savoir ce que t'en penses. »

Clara m'avait envoyé un message texte le 26 décembre à 0 h 04 :

« Je suis fiancée ! ! ! ! Il m'a fait la grande demande sur la plage, devant ma famille. La grosse affaire ! Ça va être toi, mon témoin. Donne-moi des nouvelles quand tu rentres, je m'ennuie de toi ! »

Pendant que Lilie défaisait des boîtes dans son nouvel appartement, je suis sorti marcher sous la neige. Je longeais les rues du centre-ville en me laissant porter par une suite de chansons, chacune associée à un homme, une odeur ou un baiser. J'avançais le pas léger, inconscient de ce qui se passait autour de moi. À la seconde où la mélodie de *Alone Again (Naturally)* a fait son chemin dans mes oreilles, des larmes se sont mises à couler. Une multitude d'images se bousculaient en moi : la crainte d'avoir perdu la confiance de mon agent, l'échec de mes dernières fréquentations, le deuil de mon père qui m'avait rattrapé. Malgré la boule que je sentais dans mon ventre chaque fois que je pensais à lui, la colère et l'incompréhension qui m'habitaient depuis des années m'avaient peu à peu déserté. J'essayais de faire la paix avec sa mort en me réappropriant ma vie.

Au moment de regarder l'heure, j'avais un nouveau message dans ma boîte vocale :

« Salut Émile, j'espère que tu vas bien. Je suis rentré ce matin et j'ai pensé à toi. Je me demandais ce que tu devenais, où tu étais rendu… Si tu as envie de savoir à quoi ressemblerait notre troisième rendez-vous, appelle-moi. »

La voix de Davide… Un mélange d'espoir et de tristesse étouffée m'a remué les entrailles.

Au lieu de le rappeler, je me suis précipité vers son appartement dans le Vieux-Montréal. Mon index s'est enfoncé sur la sonnette avec vigueur. La porte s'est ouverte. Je l'ai vu. Il m'a vu. Incapable de déterminer si je pouvais l'embrasser ou le serrer dans mes bras, je lui ai tendu mon manteau afin de mettre un obstacle entre mes envies et la réalité. Nous sommes passés au salon en laissant un mètre de distance nous séparer. Mes doigts trituraient un bout de mon chandail. Ses orteils battaient la cadence d'une chanson qui ne jouait que dans sa tête. Pendant un instant, j'ai cru que la complicité qui nous unissait s'était perdue quelque part entre Montréal et Téhéran. Mes yeux ont repéré où il avait rangé mon foulard et mon manteau, dans l'éventualité où mes jambes décideraient de fuir. J'étais sur le point de prendre une quatrième gorgée d'eau en deux minutes lorsque sa main s'est posée sur mon genou.

— Je suis content que tu travailles avec Éli… On dirait que ton style évolue de contrat en contrat.

— C'est lui qui t'a raconté ça ?

— Non… c'est moi qui le pense. Je lui ai demandé de m'envoyer tes photos pour voir où tu en étais. Il m'a remercié de lui avoir suggéré tes services.

— Pour vrai ?

— Bon, il m'a aussi raconté comment s'était passé ton dernier contrat…

Davide se retenait pour ne pas rire.

— Il m'a dit qu'il avait hâte que tu sortes de ta phase caractérielle… mais que si ça te prenait ça pour que tu te fasses un peu plus confiance, il allait être patient.

— Il va encore vouloir me confier des contrats ?

— Laisse-lui une autre semaine, et il va avoir tout oublié. De toute façon, il serait idiot de se passer de toi… S'il te laisse filer, les autres agences vont t'engager.

Davide me fixait avec une intensité déstabilisante.

— Pourquoi tu me regardes comme ça ?

— Parce que ça fait quatre mois que je me demande comment je vais me sentir en te revoyant…

Et moi, ça fait quatre mois que je me bats pour ne pas penser à toi.

— Et c'est quoi la réponse ?

— J'ai l'impression d'avoir treize ans et de ne pas savoir où me mettre… Je ne me suis pas senti comme ça depuis des années.

Comme aucun mot ne pouvait exprimer tout ce qui se passait dans ma tête, j'ai eu l'idée de brancher mon iPod sur ses haut-parleurs. Les premières notes de *Moi, Elsie* remplissaient l'atmosphère d'une douceur apaisante. La sensualité du piano d'Elisapie Isaac nous invitait à nous rapprocher. Sa mélancolie ralentissait le rythme de nos pas. Notre langueur se laissait bercer par sa voix suave. Nos lèvres se sont retrouvées, les poils de sa barbe ont chatouillé mon cou, mon épaule. Quelque part entre un couplet et le refrain, la notion du temps est partie rejoindre mes angoisses et mes doutes. J'allais probablement voir resurgir ma peur de ne pas être à la hauteur et me dire que l'histoire qui se dessinait dans ma tête était trop belle pour durer, mais chaque fois que la crainte d'être abandonné se mettrait en petit bonhomme dans un coin de mon esprit, je n'aurais qu'à regarder l'homme qui dansait tout contre moi pour me rappeler que, parmi tous ceux qui m'avaient quitté, il était le seul à m'être revenu.

— J'en déduis que tu es toujours célibataire, me chuchota-t-il.

— J'en déduis que je dors ici cette nuit, répondis-je en souriant.

Merci...

Chrystine Brouillet et Sonia Sarfati, d'avoir bercé mon enfance en me faisant découvrir la douceur de la lecture et la puissance de l'imaginaire.

India Desjardins, d'avoir été la première personne du milieu journalistique et littéraire à croire en moi, alors que j'étais encore adolescent, et de me démontrer qu'on ne peut rien faire d'autre dans la vie que d'écouter ses rêves.

Lucie Pagé, d'avoir soufflé sur les braises de mes ambitions, de voir en moi des choses que je n'ose même pas imaginer, d'offrir ton soutien indéfectible et ton affection inébranlable.

À Carole Fréchette, que j'ai eu l'honneur de jouer sur les planches, d'avoir eu la générosité de me laisser utiliser ses mots pour faire avancer mon histoire.

Sarah Iris Foster, Anne Sirois, Sarah de Montigny, Cynthia Mariani, Colette Bélanger, Pierric Soucy, Daniel Roy, Alexandra Valiquette, Isabelle Longpré, Isabelle Laflèche, Jason Dupuis Mayer, Maya Dumont Deslandes, François Imbeau-Dulac et Alex Gauthier, d'avoir livré vos commentaires francs, personnels et éclairés, qui m'ont permis de livrer le meilleur de moi-même.

La grande équipe des Éditions Druide, d'avoir transformé mon rêve en réalité.

Mon éditrice, Anne-Marie Villeneuve, d'avoir été la sage-femme de mon premier accouchement, d'avoir guidé ma plume sans jamais la brusquer et de m'avoir obligé à creuser dans les profondeurs de mon esprit pour trouver les réponses manquantes à mon histoire et à une partie de mon existence.

Mes parents, Hélène Bolduc et Marc Larochelle, d'avoir survécu à mon intensité, d'avoir accueilli ma personnalité, d'avoir soutenu mes choix, et de n'avoir jamais découragé mon imagination, ni mes ambitions.

SAMUEL LAROCHELLE

Au début, je voulais raconter mon histoire. À la fin, j'en avais inventé une. La rédaction de ce premier roman m'a fait réaliser à quel point la fiction me transporte et m'enivre.

Avec le temps, je suis tombé en amour avec Émile, la *mamma*, Lilie, Charles, Clara, Paul et les autres. Je ne passe pas une journée sans penser à eux. Ils me manquent, me font rire, pleurer et réfléchir.

Prenez-en bien soin,
Samuel Larochelle

samuel.larochelle
SamuelLarochel
sagegamin.blogspot.ca/

FRANÇOIS THISDALE

Très apprécié des deux côtés de l'Atlantique, François Thisdale a illustré de nombreux livres pour enfants, magazines, couvertures de romans et rapports annuels. Artiste polyvalent, récompensé par de nombreux prix et mentions, il confectionne des images aux textures multiples réalisées à partir de photographies empreintes d'une poésie toute particulière. Il crée aussi des illustrations au crayon et à l'aquarelle en s'inspirant de ses carnets de voyage.

www.thisdale.com

ACHEVÉ D'IMPRIMER EN AOÛT 2013
SUR DU PAPIER 100 % RECYCLÉ
SUR LES PRESSES DE L'IMPRIMERIE LEBONFON,
QUÉBEC, CANADA.